やましたひでこのキッチンの引き出し。

仕切りのない引き出しの中で使い込まれた道具が気持ちよさそうに並ぶ。
箸置きの猫は、今にも自在に動き出しそう。

▲お気に入りだけに囲まれる暮らし
要らないモノを処分していく中で、気づくと残っていたのは、青色系統の食器。ガラス棚の「見える収納」を断捨離では「5割収納」としている。(P.151)

クラター・コンサルタントやましたひでこの住まい拝見。

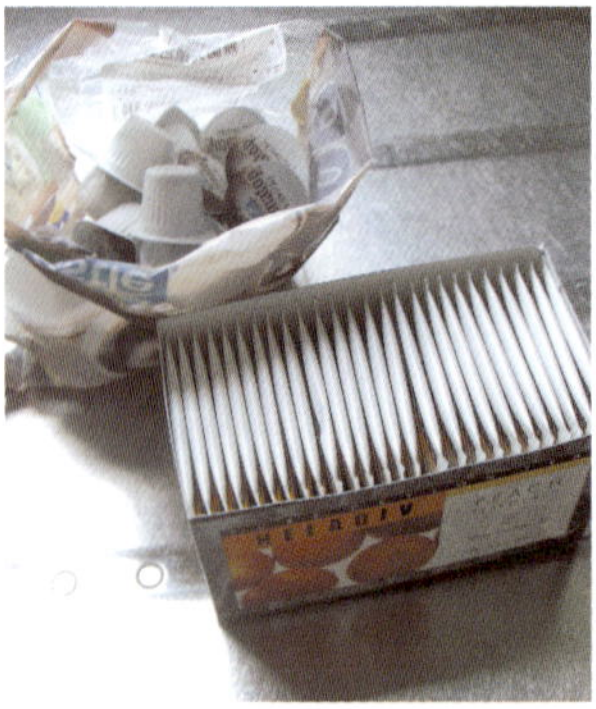

▲取り出しやすさでムダなストレスを省く
ワンタッチで取り出すには、蓋や輪ゴムは不要。モノを取り出す際のストレスを極力減らすことで「面倒くさい」を言い訳にしないよう工夫。(P.156)

▲片づける気にさせるための「7割収納」
断捨離では、箪笥やクローゼットなどの「見えない収納」でさえ100%詰め込まない。3割の余裕を持たせることで、片づけたい気持ちを喚起させる。(P.150)

なおこさんのキッチン　40代の教員の方。超多忙で片づける時間がなかなかとれなくて…。

断捨離体験者の住まい　before

みぃママさんのリビング　洗濯物が散乱。これでは自分も家族も寛げない…。

事実上機能していなかったキッチンに堆積していたゴミを徹底的に排除。
キッチンは生命を預かる大切な場所。生活のための基本がこれで整った。

after

リビングとしての機能をきちんと回復。窓からの陽の光が気持ちのいい寛ぎ空間に変身。
埋没していたテレビの存在感が増し、家族団らんの時間も増えそう。

新・片づけ術

断《だん》捨《しゃ》離《り》

断捨離®のメソッドは
断捨離セミナーのすべての受講生さんによって磨かれてきた。
これまでも、そしてこれからも。

はじめに　～What's 断捨離？～

はじめまして。「断捨離」へようこそ。私はクラター・コンサルタントの「やましたひでこ」です。クラター・コンサルタント？　はてさて、いったいどんな仕事なんでしょう。訝《いぶか》りたくもなりますよね。だって、クラター・コンサルタントを名乗っているのは、この世で私、ただ一人。

クラターとは、英語で「clutter」、ガラクタのこと。

Clut-ter 名（不要な物の）散乱、散乱物、乱雑。動 場所を取り散らかす、頭を（不要な情報で）いっぱいにする。

私の仕事は、住まいに溢れるモノたちを見つめ直し、モノとの関係性を問い直しながら、今の自分に「不要・不適・不快」なモノを取り除くための助言やお手伝いをすること。結果、住まいが片づき、ついでに心の中のガラクタとも、はい、お別れ…。そう、住まいと心のガラクタをコンサルティング…という仕事をしています。

そして、この本のタイトル「**断捨離《だんしゃり》**」。聞き慣れない言葉かと思います。断捨離・Danshari・だんしゃり・ダンシャリ…試しに、口に出して、音にしてみてくださいね。なかなかインパクトのある、力強い響きですよね。断捨離とは一言で言うと、

モノの片づけを通して自分を知り、心の混沌を整理して人生を快適にする行動技術

ということになります。別の言い方をすると、

家のガラクタを片づけることで、心のガラクタをも整理して、人生をご機嫌へと入れ替える方法。

要するに、片づけを通じて「見える世界」から「見えない世界」に働きかけていく。そのためにとる行動とは、

「断」＝入ってくる要らないモノを断つ
「捨」＝家にはびこるガラクタを捨てる

です。そして「断」と「捨」を繰り返した結果訪れる状態を、

「離」＝モノへの執着から離れ、ゆとりある〝自在〟の空間にいる私

と定義づけます。断捨離は単なる掃除・片づけとは異なります。「もったいない」「使えるか」「使えないか」などのモノを軸とした考え方ではなく、「このモノは自分にふさわしいか」という問いかけ、つまり**主役は「モノ」ではなく「自分」**。「モノと自分との関係性」を軸にモノを取捨選択していく技術です。「このモノは使える」→「取っておく」ではなく、「私が使う」→「必要」という考え方です。主語は常に自分。そして、**時間軸は常に「今」**。今、自分に不必要なモノをただひたすら手放し、必要なモノを選んでいく…。その作業は「見える世界」から「見えない世界」に働きかけ、結果、自分自身を深く知ることに繋がります。

そうすると、ココロまでもがす～っと軽くなる。ありのままの自分を肯定できるようになります。これまで8年近く「断捨離」をテーマにセミナーを続けていますが、今までどれだけの受講生さんの人生の加速度的な変化を目の当たりにしてきたことでしょう。することは、ただ、ひたすらモノを手放していくだけなのですが、断捨離は不思議と、〝行動変容〟をもたらします。時として、人生をも大きく転換させます。転職、離職、転居、引っ越し、結婚、離婚、再婚…それはまるで、知らず知らずに封じ込めていた内在する力を、蓋を取り除いて外に出してあげるような。それぞれがもともとに持っている人生のスタンスに立ち返るきっかけづくりをしているような。もともとの、その人の生命が赤々と燃えるように導火線に火をつける、いわばトリガーのような…それが断捨離のおもしろいところです。

私が「断捨離」に行き当たったのは、かれこれ20年ほど前のこと。高野山の宿坊に行った際、必要なモノだけが大切に使われ、掃除が行き届き、スッキリとした修行僧の日常空間を見たのがきっかけでした。非日常のホテルの快適さとは異なる、清々しさ。折しも雑誌やテレビでは「収納術」ブーム。溢れ、ひしめくモノを、こと細かく分類・整理・収納しなければ片づかない私たちの暮らし。思えば、私たちの生活は「足し算」の連続です。あれも欲しいこれも欲しい、街へ行けばモノで溢れかえっている。けれど物理的にも精神的にも、自分たちを「混乱させるようなモノ」まで背負い込んでいないか？　高野山での生活を間近に見て、**足し算の生活から引き算の生活へとシフトチェンジ**する重要性に気づかされました。そこで結びついたのが、かつてヨガ道場で学んだ「断行」「捨行」「離行」。欲望を断ち、執着から離れるための行法哲学です。それをモノと人との関係性に焦点を当てて行動へと結びつけることはできないだろうか。そうして思いおこした言葉が「断捨離」でした。そして今や、片づけ下手だった私が、断捨離という引き算の解決法でセミナーを開き、片づけ指南をさせていただいているのだから、人生とは不思議…。

私たちの生活とは、普段の地味な家事作業で成り立っています。結局、日常において「清々しい場＝聖なる空間」をキープするということは、常にその繰り返しなのではないでしょうか。目を閉じることもなく、静かに座るわけでもない。けれどモノに向かい合うことは、自分に向かい合うこと。部屋を整えていくことは、自分を調えていくこと。**ココロが行動を変えるのではなく、行動がココロに変化をもたらす**。行動すればココロがついてくる。**いわば断捨離は「動禅」**。

では、「断捨離」とは具体的にどういうプロセスがあるのか。普段セミナーでお話しさせていただいている内容をここに凝縮して記しました。プロセスと言っても、考え方を知っていただくと〝気づき〟が起こり、そこからはもう、オートラン。みなさん断捨離したくてしょうがなくなるようです。「片づけ」という言葉だと義務感を感じ、常に逃避したい欲求に駆られていたとしても「断捨離ならできる！」という方、多いのです。それもそのはず、だって埋もれていた自分自身を発掘する作業なのですから。

一人でも多くの人に断捨離を知っていただき、人生がゆとりある快適なものになれば…そして、モノが溢れるこの社会で、必要とされるところに必要なモノが必要なだけスムーズに流れることができたら…いわば、生活における代謝と循環の促進！

というゴタクはさておき。断捨離は不思議とクセになる、自分を知ることができる、そして何より、より良い変化を加速させる！

さあ、あなたも、Let's 断捨離！

装丁・本文デザイン　轡田昭彦／坪井朋子

目次

第3章　まずはアタマの整理から――断捨離的・思考の鉄則

第5章 爽快感と解放感、そしてご機嫌！——見えない世界の加速度的変化

第1章

仕組みがわかれば やる気は起きる

断捨離のメカニズム

「断捨離」とは〝片づけない片づけ方〟

まず最初に、断捨離の定義について説明を。断捨離は、そのメカニズムがわかるとやる気が喚起されるので、ここはとても重要です。例えば私たちが「部屋をキレイにしなさい！」と言われたとき、何から取りかかりますか？　部屋をキレイにするには「片づけ」「整理・整頓」「掃除（掃く・拭く・磨く）」などの要素が思いつきますね。しかし、例えば「片づけ」と「整理・整頓」とは何が違うのでしょう？　案外とそのあたりの焦点がぼやけていたりしませんか？

断捨離では圧倒的に「片づけ」を重要視し、明確に定義します。

「片づけ」 必要なモノの絞り込み作業。絞り込む際の軸は、**「自分とモノとの関係性」**そして**「今」**という時間軸。つまり、そのモノと自分が今、生きた関係かどうかを問い、取

捨選択していく行動。

となります。ドキッとしませんか？　なぜなら私たちの多くは、この「片づけ」を漫然と行っているからです。ここの関係性の軸と時間の軸がズレたままに片づけをしても必要なモノとガラクタの区別がつきません。気に入っていないけれど捨てられない、人からのいただきモノ、「いつか使うはず」と取っておきながらもなかなか出番のないモノ、ゴミ同然とわかっていても放置しているモノ…そういったモノは、軸が「モノや他人」、そして「どうなるかわからない未来」「過ぎてしまった過去」へとズレているモノと言えます。

実は、大まかに言うと、断捨離でやることの大部分は、この考え方を基本とした片づけ作業なのです。行動としては、とにかく捨てること＝「**捨**」。ゴミ袋に入れて納戸に突っ込んでしまうことを片づけとは言いません。単にモノの様子を変えてどかしただけ。移動です。断捨離では家の外に出すことが肝心。この「捨」を徹底するとどうなるか。**今、自分にとって必要かつ相応しい、生きた存在のモノだけが空間に残ります**。

時間は「今」の連続ですから、その生きた存在のモノは常に更新されていきます。つまり、常に入れ替え＝新陳代謝です。そしてさらに、その片づけ作業を真剣に行っていくと、自然とモノを取り入れるのも吟味するようになります。なぜなら、いかに余計なモノに囲まれて生活しているかがよくわかり、本当に気に入った、必要なモノしか欲しくなくなるからです。これが「**断**」の状態。断捨離とは、この、「断」と「捨」を行うことで至る、モノの執着から離れ、軽やかで自在な状態（＝**離**）と定義できます。

なぜ「片づけない片づけ方」か

断捨離をしていると、いわゆる「部屋の片づけ」の必要がなくなります。なぜなら、むやみにモノは堆積せず、常に必要なモノだけが循環しているだけだからです。そしてもともと「片づけ」という言葉には義務感が伴いますし、実際、できれば「やりたくないもの」ですよね。断捨離はそこからも離れます。イヤなこと、面倒なことではないのです。本当に必要なモノだけがある状態は爽快で心地いい、ご機嫌な状態。それを維持しているだけですし、そうしたくなる。なので、それを体得した方は、二度と「片づけ」とは言わなくなりますね。すべて「断捨離」。**イヤなこと、義務という観念からの百八十度の転換**が起

■断捨離のメカニズム

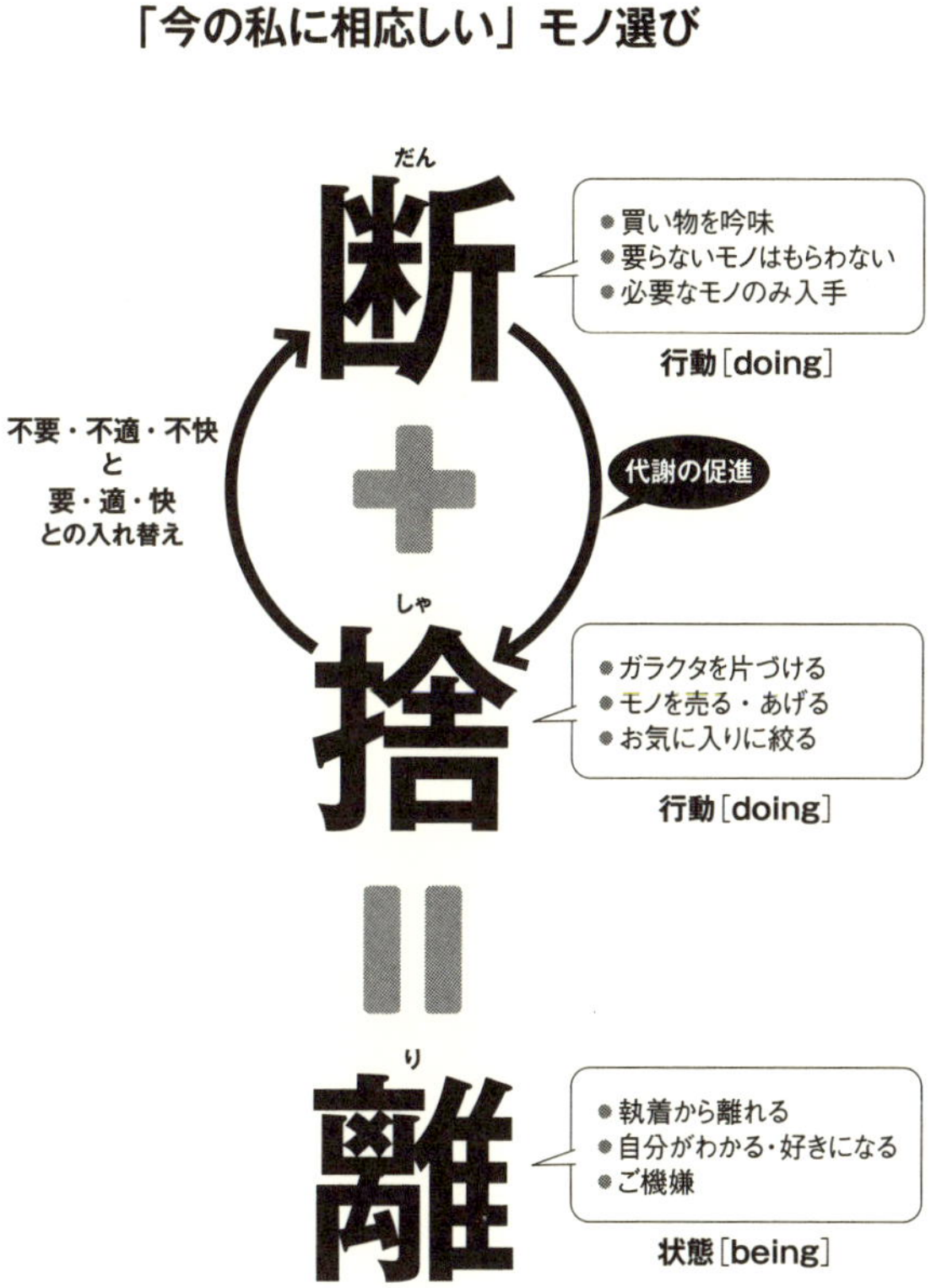
「今の私に相応しい」モノ選び
断《だん》
・買い物を吟味
・要らないモノはもらわない
・必要なモノのみ入手
行動［doing］
不要・不適・不快
と
要・適・快
との入れ替え
代謝の促進
捨《しゃ》
・ガラクタを片づける
・モノを売る・あげる
・お気に入りに絞る
行動［doing］
離《り》
・執着から離れる
・自分がわかる・好きになる
・ご機嫌
状態［being］

きるのです。
　または「片づける必要のない片づけ方」とも言えるかもしれません。片づけなきゃいけないモノというのはある意味敵です。私たちを悩ませる存在なのだから。けれどそれを取り除いて、住まいに今の私に相応しいモノだけが存在するとどうなるか。部屋の中にあるモノは全部自分の味方になる。結果、清々しい気持ちを自動的に維持できる、そういう手法です。

「今の私に相応しい」モノ選びをしていくうちに、「片づけ」すら不要に！

整理・収納術とは何がどう違うか

ここで、既存の整理・収納術と断捨離がどう違うのかを説明しておきます。まず、一番大きな違い、**断捨離は必ずしも「部屋をキレイにする」ことが目的ではない**、あるいは、それを目的としても良いのですが、断捨離することで「本当の自分を知ることができ、好きになれる」感覚が得られることが最大のメリットです。自己肯定感が湧いてきます。要するに「部屋をキレイにしたい」が動機でなくても良いということになります。あるいは、それが動機だったとしても、部屋が片づく以上の何かが得られるわけです。

そして、**主役はモノではなく私**。私が使うかどうか。「もったいない→取っておく」というのはモノが主役の発想です。そして整理・収納術が「いかにモノを保管するか」に主眼を置いているところ、断捨離は常に代謝していくことが前提になります。常に空間に動き・流れのある状態です。保存・分類のために仕切りのついた収納グッズを新たに買ったり、まして作ったりすることもありません。むしろ最初に収納用品を捨ててしまってもい

■断捨離と整理・収納術との違い

	断捨離 active	整理・収納術 inactive
前提	代謝 入れ替え	保管 そのまま
主役	自分	モノ
焦点	関係性	モノ or 自分 or もらった相手
重要軸	感性　ふさわしい 要・適・快	物質　もったいない 使える or 使えない
時間軸	現在　今	過去　未来 かつて　そのうち
意識	選択　決断	回避
手間	少	多
技術	不要	要
収納グッズ	不要	要

いくらい、モノは減ります。そして断捨離は、メカニズムさえわかれば、特に技術も要りません。「このモノと自分との関係は生きているかどうか」を問いかけながらひたすらモノを絞り込んでいくだけです。

そして、この「断捨離」という言葉の響きもミソ。8ページにも書きましたが、もともとはヨガの行法哲学「断行」「捨行」「離行」をもとに生まれた言葉です。整理・収納という日常の雑務というよりは自己鍛錬のツールというイメージを受け取れる字面ですよね。しかもこの「だんしゃり」という音自体に、何か不思議と人を引きつける力があるようで…。見た目自体もそうですが、響きも強い。私がこのように、セミナーを行ったり本を出させていただけるのも、この響きが人を引きつけ、みなさんがいろいろと断捨離について方々で話してくれるというのも大きいなあと思っています。この三文字・この音で、行う内容や意識の持ちようがかなりの部分伝わるような気さえします。

モノの絞り込みが「気づき」をもたらす

断捨離するとモノも味方、環境も味方、結果清々しい気持ちを維持できる、とすでに書きました。と同時に、**ただただモノの絞り込みをしただけなのに、セミナーの受講生さんにいろいろな変化が出てきた**のです。自分を軸にし、時間を今に戻しながら行うモノの取捨選択の作業、つまり「見える世界」での行動を通して、今度は「見えない世界」がどんどん変わっていくということが起き始めました。もともと、「見える世界」と「見えない世界」は繋がっているのだろうな、という思いはあったのですが、本当にものすごいスピードで変わっていくのです。そのメカニズムはこうです。「このモノは今の私に相応しい・必要」という判断は、結局自分がわからないとできない行為。モノを通じてそのトレーニングを続けていくうちに、今度は、**今の自分が浮かび上がってくる**。セルフイメージが診断できるわけです。

例えば、引き出物でいただいた高級ブランドのカップ、いただいたときのまま箱に入れてサイドボードの奥のほうに仕舞ってある、なんてことは経験がありませんか？　それをマイセンのカップとしておきましょう。それに引き換え、実際自分で使っているのは、ドーナツを買ってオマケでもらったカップだったりして…。「どうして使わないの？」と聞くと「もったいなくてこんないいモノは使えない」というわけです。つまり、潜在意識で「自分にはマイセンのカップは相応しくない。自分はそんなレベルにない」と思っている、ということがモノを通じてわかるのです。使っているモノがその人のセルフイメージを教えてくれます。しかもそこを認識できたら、逆に、モノを替えていけばいいんだという発想が持てます。「そうか…、これを自分が使ってもいいんだ」と思い直す、つまり自分で自分に許可を与える。そのカップを使い始めることで、モノと波長が合ってくる。そこで視点が変化していく。グレードのいいモノを自分に許していいんだというメカニズムが働いて、これまで**減点法で自分を見ていたところから加点法にシフト**していくことができるのです。自分を知り、過去の自分を手放して、より活かしていく方向に持っていく。こういうことが意図せず自動的に起きる。それが心の深いところに届くから、多くの人が気づくと〝ビバ・ダンシャリ〟となっていきます。実はこの「見えない世界」の後に、「もっと見えない世界」というのがあることにも気がついていきます。神の領域、サムシング・グレート…表現はいろいろありますが、要するに運とかツキとかスピリチュアルな次元です。思いがけない偶然、シンクロニシティとかそういうことも起こってきます。モノの次元を片づけることで、これまで邪魔が入っていて見えにくくなっていた、深い次元に繋がる回路まで開いていくというか。この段階についてはまた第5章で詳しくご紹介します。

要するに、気づきが起こっていくことで、どんどん自分がわかり、好きになっていくことができます。私は、この状態を「ご機嫌」と表現しています。ドイツの詩人で哲学者のゲーテが言ったこんな言葉があります。

「人間の最大の罪は、不機嫌である」

殺人、恐喝、暴力ではなく、不機嫌が最大の罪とは。もちろん殺人、恐喝、暴力も罪なのだけれど、もともと不機嫌が高じた結果なわけです。だったら、ご機嫌になることが先決。それも、他人のではなく、自分の。夫の機嫌が悪い、上司の機嫌が悪い…ご機嫌が直ってくれたら私も機嫌良くいられるのに…、みたいに相手に預けてしまいがち。だからその相手の重力圏に自分も入ってしまう。そうではなくて、自分がご機嫌さんになって不機嫌な人を自分の「ご機嫌重力圏」の中に入れてしまおう！くらいの気持ちになれたら素敵だなあと思います。断捨離の場合はどこから始めるかというと、住まいや職場という身近な環境からご機嫌に至るアプローチをしていく。つまり、不機嫌とご機嫌の入れ替え。まずは、ご機嫌な空間に自分の身を置きましょう！というわけです。

モノに与えてしまった空間とエネルギーを取り戻す

片づけにとりかかるとまず直面するのが、そのモノの多さと混沌具合です。断捨離の視点を理解すると、今まで暮らしていた部屋がそれまで以上にゴミやガラクタだらけに見えてくる、という人がほとんど。**いかに自分が、モノに時間と空間そして維持・管理するエネルギーを与えてしまっていたか。**もちろんお金というエネルギーもかかっているわけです。断捨離ではそれを取り戻そうと言っています。まずは、どれだけモノにエネルギーを取られているかを診断するのが最初の段階です。さらに、モノを絞り込む行為を通じて、自分で自分を改善していくことができます。これが断捨離の醍醐味です。自分でできるのです。そして、それはまるで体質改善。症状だけを改善する対症療法ではないのです。住まいという自分に一番近い環境を使って根本から自分を変えていく。そう思うとやる気も増すというものです！

ケース1　コンビニ弁当のスプーンが相応しい自分？

かずえさんは台所を必死で片づけ、必要以上のあり余る量のステンレスのカトラリーを処分。なのにどういうわけかコンビニのお弁当にくっついてきたプラスチックのスプーンが捨てられず…。台所の引き出しにいっぱい詰まって開けづらいほどの量だというのに。聞けば、「ピクニックのときに便利だから」。でも、ピクニックはいつ？　ステンレスではダメなの？　話はカトラリーに留まりません。絶対着ないだろうと判断した、流行遅れの安物のワンピースも、いったんゴミ袋に入れてはみたものの、また取り出してはしまい込み…。質の良い品はあっさりと手放すことができるのに、質の劣るモノに未練が残るという不可解な自分の心理に直面。潜在意識に、高価・高品質は恐れ多くて、自分には安物がちょうどいい、相応しい、と自分で自分を貶《おとし》めるクセが染み付いてしまっていたよう。断捨離でセルフイメージがわかった典型。

箪笥の中からできる自分改革

もともと片づけが得意だったのではないかと思われがちなのですが、白状しますと、もともとは得意・不得意かと聞かれたら不得意なほう、断捨離のメカニズムに思い至るまでは片づけても片づかない状態でした。やっと片づいたなと思ってもすぐに元通りになってしまう日々。15年くらい前でしょうか、当時流行っていた収納術を何度も試したことがあります。プラスチックのコンテナケースをホームセンターで買ってきて一生懸命詰めて押し入れに押し込みました。ところが一度出したらもうくちゃくちゃ。真ん中に積んだケースなどは引き出すのが大変でそのまんまみたいな状態で。細々とした自分で作れる収納グッズも試してみたのですが、自分が不器用なのもあってか「こんな面倒なことやってられない！」となってしまいました。もう、なんというか、完全に居直りました。

そもそも、**ここにあるモノたちが、こんなに手間ひまかけて、時間もお金も労力もかけて収納に値するモノなのか？**と思ったんです。そこに気づけてから捨て始めることができた。でも、捨てたら片づくかというと、そのときはまだ「断」の発想がなかったので、捨てては買い、買っては捨てての繰り返し。収納術にかたまっていたときよりは大分マシになったものの、まだ片づかない…。10年くらいそんなことを繰り返していました。

あるのにない、ないのにある

ヨガ道場で学んだ「断」という概念。例えば、断食するとその感覚がよくわかります。いったん食を断ってみると、「ああ、こんなに食べ物って有り難かったのか」と、気づかされます。「断」を行うことで、日々有り難い生活をしていたのだと気づき、執着心からも離れられ、同時に感謝心も湧いてくるというわけです。でも、最初それを習ったときは、「私みたいな執着だらけの人間がこんなことできません！」と思いました。

それをヨガの先輩に愚痴めいて話したところ、「そうだよね。だって簞笥《たんす》の中だってぎちぎちだよね」って一言おっしゃった。なるほどな、と思いました。「**精神的な執着を取り去ることはまだまだ難しいのだけど、とりあえず簞笥の中からはできるかもしれない！**」。これが片づけを断捨離として日常に落とし込むきっかけとなりました。

私たちは、季節の変わり目によく「着る服がない！」って言っていますね？　でも、箪笥の中は洋服でぎっちりだったりしませんか？　これは「もう着ない服なのに、なんらかの思いが残って、ただ取っておいてある」ということなんですよね。「あるのにない、ないのにある」という奇妙な状況。ということは、「これを手放すことが執着を手放すということの〝行動〟になるのかな」という気がしたわけです。このことがきっかけで、季節の変わり目ごとに「着る服がない」と言っている自分や、いかに着ないままに放置している服が多いかに気づかされました。**そこにあったのは「愛着」ではなく「執着」**だったのです。そして「じゃあ、箪笥の中から始めよう！」と決心がつきました。

モノとの関係が人との関係も変える

そうやってモノと自分との関係に焦点を当てだすと、モノに投影されたセルフイメージが見えてくる。そしてさらに、他人に、自分という人間がどう評価されているかということに結びついてくることも、だんだんわかってきました。結局、自分にテキトーなモノを与えていればテキトーな扱いを受ける。「あの人はあんなモノを使ってあんな服を着ているから、プレゼントするのはこれくらいでいいよ」とか。逆に言うと、断捨離の手法を使って自分のセルフイメージを上げていくことができたら「あの人はあんな素敵な生活をしているから、こんなお粗末なモノはあげられない」となるわけですよね？　そんな風に周りの反応が少しずつ変化していくのが感じられたのは、とても興味深かったです。ですから、実は、この**モノの絞り込みという作業は、最終的には自分と人との関係をも変容させる力がある**、ということです。もっと言うと、自分が自分をどう扱っているか、がすべて。それが最初に表れるのがモノの次元なのですから、モノとの関係をより良くしていったら、すべてが変わっていくんですね。家にあるその箪笥、その引き出しから意識どころか人との関係性まで変わっていく、これをよくよく心しておきたいです。

実践で起こる意識変容のプロセス

さて、大体の断捨離の流れがわかったところで、私たちの意識の移り変わりをまとめておきます。

まず初期段階は「捨」の作業、モノの絞り込みを徹底して行います。最初はやはり、それまでと違う判断軸でモノを見始めますので、まだ迷いがあります。いざ、服をゴミ袋に入れて捨てようと決めたけれど、いや待てよ、いつかまた使うかもしれない、という気持ちがむくむく湧いてきたり。それは捨てる迷いとの向き合い始めです。迷っているのでなかなかスムーズにいかず、モノはまだ多く雑然としています。それでもなんとかがんばって「もったいない」という気持ちと格闘して断捨離を繰り返すと、少しずつモノの要・不要の判断が早くなり「もったいない」を言いわけにしなくなってきます。潔さと思い切りが身についていくプロセスを辿る。そうすると、「これは使ってもらえそうなあの人にあげよう」「これは取っておいても誰も使わない」という形ではっきり選択できるようになってくる。これが中級レベル。こうなると加速度がついてきて、その決断の作業自体も楽しくなってきます。繰り返し行っていくうち、ようやくモノが適量に。適量の度合いは生活スタイルや職業にもよるので一概に表現するのは難しいのですが、要するに「自分でコントロールできる」量。そう自分が感じられる量です。存在するモノの在処をすべて把握でき、使いこなせるかどうか。断捨離では、ここではじめて家が**「物置」から「住まい」**と呼べるようになった、と言えます。だってこれまでは使わないモノがひしめいていたわけですから。ガラクタを収納しても意味がありません。**収納術にとりかかるのは、この段階から**です。

人によっては、ここに比較的早く辿り着ける人もいますが、「捨」にものすごい時間と労力がかかるパターンも少なくないです。ある収納術の先生が、収納の際はモノに「どこにいたい？　いつも？　時々？」と問いかけて、置く場所や置く高さを決めましょう、と提唱されていて、おもしろいなあと思ったのですが、これを「捨」の前段階にやっても意味がないです。だってガラクタに話しかけてもしょうがないですからね。ここができていない限り、収納術は無意味だと断捨離は考えます。

やっとモノがコントロールできる量になった、ということは自分の支配下におけたということ。これまではモノに煩わされていた。つまり、自分がモノの奴隷状態だったわけです。モノをコントロールできるというのは、自分が居て、はじめてモノがあるという状態。ただ、断捨離はもうちょっと上を目指していく。いっそ、モノと仲良しになろう。つまり厳選が始まります。これは上級者、マスターレベルです。確かにこれは使っているし、自分がコントロールしているのだけど、もっと仲良しという「お気に入り」との暮らし。そうすると「断」、買うときもとてもとても吟味するようになります。モノを使いこなして使い切ろうとします。ここが断捨離の最終段階。モノが正常な流れ、自分にとって適度な量になってきた、そしてさらに厳選したモノだけになったら、捨てるモノだって最小限になるわけです。これまでは溜めて溜めて詰め込んでいた。それを捨てろ捨てろ手放せとやってきた。だから辛かったわけです。でももはやこの段階までくると、必要最低量しかモノはなく、機能的で美しいです。空間にはらはら…と大切なモノだけが置いてある。これが「片づけない片づけ方」の最終形です。つまり、実は収納グッズさえ不要な空間。収納術さえも無用の世界。**「住まい」と呼ばず「自在空間」**と呼びましょう。自分にとって最高にフィットした居心地の良い空間。みんなでこの段階まで行きましょう！というのがこの断捨離のもくろみです。

■断捨離による、意識・環境・気の変容

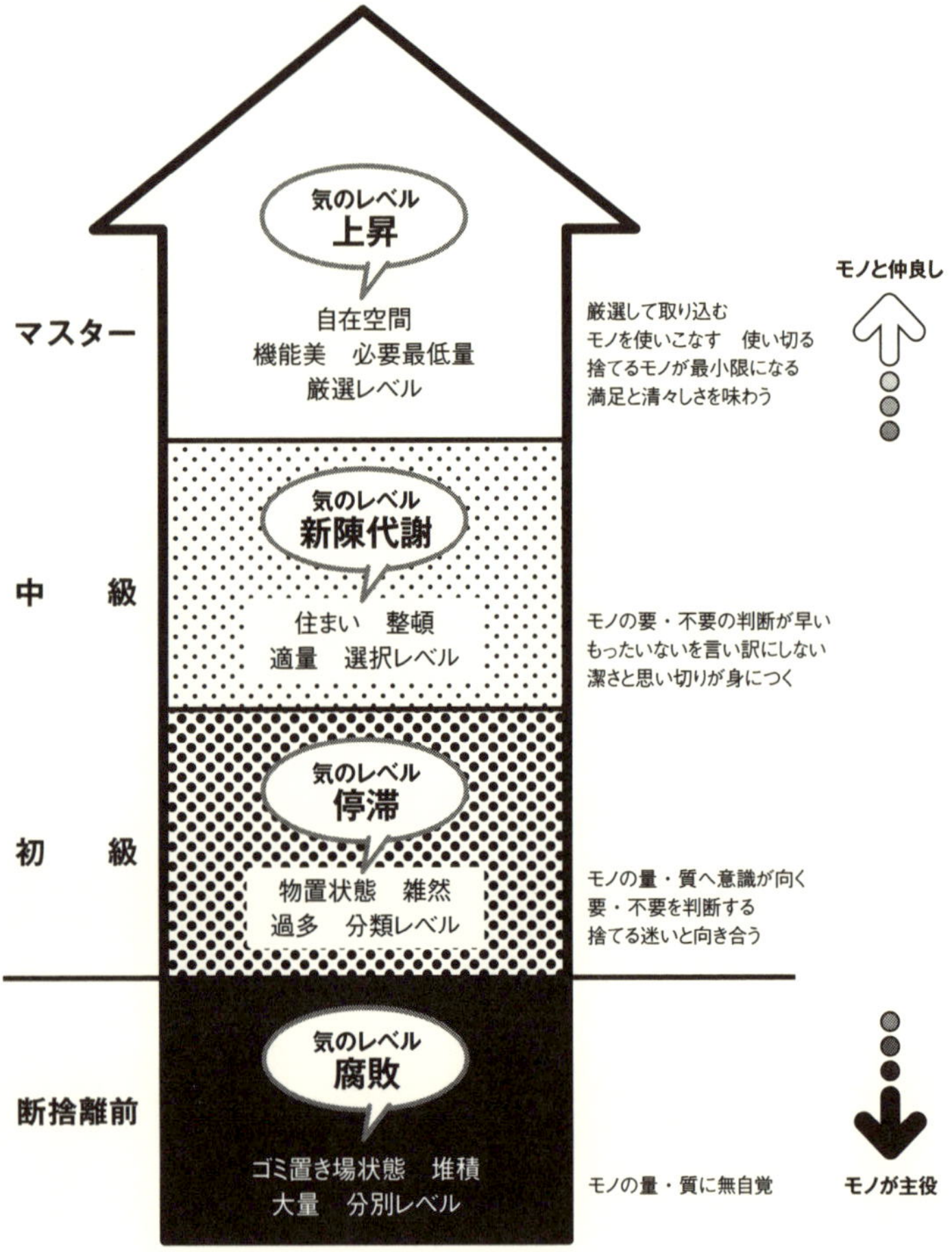
気のレベル
上昇
自在空間
機能美　必要最低量
厳選レベル
マスター
厳選して取り込む
モノを使いこなす　使い切る
捨てるモノが最小限になる
満足と清々しさを味わう
モノと仲良し
気のレベル
新陳代謝
住まい　整頓
適量　選択レベル
中　級
モノの要・不要の判断が早い
もったいないを言い訳にしない
潔さと思い切りが身につく
気のレベル
停滞
物置状態　雑然
過多　分類レベル
初　級
モノの量・質へ意識が向く
要・不要を判断する
捨てる迷いと向き合う
気のレベル
腐敗
ゴミ置き場状態　堆積
大量　分別レベル
断捨離前
モノの量・質に無自覚
モノが主役

内在智センサーを磨く

「断」も「捨」もｄｏｉｎｇ、つまり行動、アクションです。このｄｏｉｎｇを繰り返し繰り返しすることによって、感じる世界、ｂｅｉｎｇの状態に辿り着きます。行動は考えながらするわけですが、**考える状態から感じる状態へと移行した世界**、それをブレークスルーポイントだと私は思います。ここまで行ったら後はラク。

例えば、食べ物に置き換えると、人間の体は心身ともに健康であれば、食べたいときに食べたいものを食べたいだけ食べてもＯＫです。それは、体のセンサーが正常に機能していて、体の欲するものと量がわかっているから。断捨離もある意味この状態を目指しています。ところが不健康だったり、何かしらの歪《ひず》みがあるとその機能は正しく作用しません。ストレスで食べ過ぎたり飲み過ぎたり、同じものばかり食べてしまったり。つまり、食べ物はそれ自体がいい悪いではないのです。よくマスコミなんかで「血液さらさら効果にはコレ」「阻害しているのはコレ」みたいな形で食べ物を扱いますが、それは、要は食べ方や量の問題。体に良いからといってそればかり食べればいい、というわけではないですし、悪いからといってその食べ物を口にしてはいけない、というわけでもないはずです。私たちはどうしても、**外側にあるモノを対象にして「良い／悪い」と判断しがち**なところがあります。食べ物だってもともとは命。クッキー一つとっても、小麦やバターなど、植物や動物の営みをいただいて成り立っているわけです。それを「この食べ物は悪い」としてしまうのはとんでもないことだと思います。ほとんどの場合、自分の食べ方こそが良くないわけで。

「自分のセンサーが間違っている」。これがモノと自分にも言えます。モノが悪いのではないのです。ひとえに自分が間違った判断でモノを堆積させて身動きが取れなくなっているのだから。断捨離とはこのセンサーを磨いていこう！という技術でもあります。ヨガではそのセンサーを「内在智」と呼んでいます。余計なモノを取り込みすぎると内在智が鈍ってしまう。それを発掘していく作業をしていきます。家の中にある「不要・不適・不快」なモノを「要・適・快」に入れ替えることによって磨いていく。そう考えると、とってもやり甲斐がありませんか？　**家のゴミ1個捨てるというアクションが内在智磨き**なのですから。そうすれば、食べ物だってこの住環境だって、外の情報に頼らずとも正しく快適な状態が自分の判断で維持できる。私自身、まだまだ磨いている最中ではありますが、それをみんな一緒に目指していけたらいいなと考えています。

モノは使ってこそ価値がある

ここまで、断捨離でいかに快適でご機嫌な暮らしを手に入れるかについて書いてきました。では、少し視点を変えて大きなモノの流れを見てみましょう。

常日頃から言っていることなのですが、結局、モノは、使わないと意味をなさない。そこで、モノとの関係をこのようにまとめてみました。

モノは使ってこそ
モノは、今、この時に、必要とされるところへ
モノは、あるべきところにあって、美しい

すべての人にこの状態が訪れるといいなあと思います。

例えば、私たちが川の中流域に暮らしているとします。そこには、かつて使ったけれど、今は使わないモノがたくさんある。で、いつかそのうちまた使うかもしれないな、と思って留めておくのではなくて、川下にいる、「そのモノを本当に必要としている人」のところにスムーズに届けることができたらどんなにいいだろう、と。

だから、リサイクルショップが今以上に機能すると良いなあと思います。そのモノが流れていく行き先は、もちろん海外だっていいわけです。世界ではこの日本のように、かたやこんなにもモノが飽和しているのに、一方は足りなくて、あるいは高価だったりして、手に入らない国だってたくさんありますね。モノが必要な場所に必要な量ある。つまり、本当の意味で「身の程を知る」というか。断捨離が、そういう社会に至る一歩となれば良いですね。

結局、モノというのはある場所によって無用になったり有用になったりするものです。卑近な例えになりますが、例えばご飯粒、お茶碗にのっていたら美味しそう！　でも流しに落ちていたら…汚い。ミネラルウォーターだって、ペットボトルに入っていたら美味しそう！　でも、これが溲瓶《しびん》に入っていたらどうでしょう？　物質的にはなんの変化もありません。でも絶対飲みたくないですよね。そういうことが私たちの部屋レベルでも、社会レベルでも起きていると感じます。まずはそれを意識化し選びとっていくこと。モノがあるべきところ、必要とされるところに、自ずと戻っていけるように。それが断捨離の取り組みです。

断捨離は、モノがあるべきところにある状態の社会を目指します。

断捨離 column1 モンゴル人と断捨離的生き方

「世界で最も断捨離的生き方を実践していたのはモンゴル人だと思います」。とは、経営コンサルタントであり、モンゴルで経営学も教えている田崎正巳さん(STRパートナーズ代表・モンゴル国立大学経済学部教授)の考察。大変興味深かったので、以下田崎さんのブログより転載します（要点をまとめて抜粋)。

——かつて作家の司馬遼太郎さんが「街道をゆく モンゴル紀行」という番組でこんなコメントをしていました。「たいていのモンゴル人はモノを欲しがる心がそぎ落とされて、欲望少なく生きている」。これは、もともと遊牧民であるモンゴル人は、移動式住居ゲルに住んでいたため、必要なものだけしか持てなかったためでしょう。モノを溜め込むということを避けているうちに、モノへの欲望というものが薄れ、その分精神的には非常に豊かであったのです。つまり、モンゴル人は断捨離のプロなのです。一方で最近、モノを欲しがる、無駄なモノでも買う、自分が買えるモノより高いものを欲しがる…など、断捨離で得られる効果と正反対の結果が、都市化したウランバートルでは蔓延するようになってきています。市内でのレストランやオフィスを見ると、とてもきれい好きな国民には思えないほど雑然としています。日本人は千年以上も前から定住生活がメインでしたが、モンゴルでは定住生活が始まったのはおそらくモンゴル革命後あたりで、まだたった80年くらい。とはいえ、都市化へ動き出した歯車は元には戻れません。であれば、またいつかモンゴルには断捨離の精神が必要になってくるのかもしれません。——

ひょっとしたらこれは、日本と正反対の出来事が起きているのではないでしょうか。欲望に任せてモノを増やしてきた日本も今、ターニングポイントを迎えているのかもしれませんね。

出典＆参考

- ブログ「徒然散文記」http://blogs.yahoo.co.jp/uncle_summy
- ブログ「田崎正巳のモンゴル徒然日記」http://plaza.rakuten.co.jp/mongolmasami/

第2章

なぜ私たちは片づけられないか

捨てられない理由

モノが勝手にやってくる社会

では、なぜ私たちの生活にはこれほどモノが溢れてしまったのか。そのあたりを考察していきましょう。

まず、もしあなたの家がモノだらけでぐちゃぐちゃで、片づいていない状態なのに、なかなか片づけられない自分を責めているとしたら…それはそんなにも責める必要はないです。厳密に言うと、**全部があなたの責任ではない**と言いたいです。だって、こんなにもモノがたくさん生産されている社会で生活しているのですから。つまり、環境と環境によって刷り込まれている、モノに対する意識、というのが大きな要因としてあります。そして、もしあなたが4人家族でお住まいであれば、4人が4人ともモノを取り込むわけですよね。で、片づけるのはあなた一人…だとしたら4対1のモノの量。うまく処理できるわけがない。量的にまず、負けています。つまり、社会、家族、自分と三つの要因があるのですから、あなたの責任は三分の一です。そう思うと少しラクですよね。

割安感とパーセンテージのワナ

そして、この消費社会では、モノを買わせる側というのは相当研究上手です。買ってもらうための高等技術を使ってきます。

例えば「割安感」。私の母の話で恐縮ですが、かつて母の一人暮らしの自宅の冷蔵庫に特大サイズの業務用マヨネーズが入っているのを見て驚いたことがありました。どうにも母の食生活には似合わないその大きさ。しかも賞味期限が切れて黄色く変色して…。「なんでこんな大きいの買うの?」と聞くと、一言「安かったから」。多分こういうことだと思うんです。この大きいサイズが500円だったとして、それが350円になっていた。ところが母がいつも通り使って消費できる普通のサイズのマヨネーズが300円で売っていたと。こっちはセール品ではないわけですね。定価のまま。そういうとき、私たちは300円と350円を比べないんですよね。「150円安い!」のお得感を選んでしまう。300円の普通のマヨネーズだと1円も得しない、と。でも、結局これを使い切れないまま、50円の損をするという結末を迎える…。そういうことをやってしまいます。

また、パーセンテージにも弱いですよね。例えば1万円くらいの素敵なブラウスがあればいいな、と買い物に行く。ところがその隣に10万円くらいのスーツがあった。それが50パーセントオフになっていて5万円も安い。でも5万円はかかるんですよ。それでも、払う金額よりパーセンテージのほうに目が行ってしまうんですね。こういうときに限って、「本当に自分の好みかどうか」がパーセンテージの曇りで見えにくくなっているから、大して着ないままタンスの肥やしになってしまう、なんてことはよくあるわけで。もちろん、買うか買わないかの最終判断は自分でしますから、自分にも半分の責任はあるのですが。

入り口の「断」の水門、出口の「捨」の水門

43ページにもありますが、この状況を川の流れで説明します。生産されたモノが上流からどんぶらこと流れてくる川があって、私たちはその中流のほとりにある溜め池で暮らしているお魚、みたいなイメージを持ってください。入り口からモノを取り入れ不要になったモノは流す。その溜め池には入り口の「断」の水門、出口の「捨」の水門があります。川の流れは、動物としてただ生きていくための生活であれば、さらさらとした小川程度で

も十分なはずだけれど、やはり人間だから文化的な生活もしたい。ということでもうちょっとモノの流れが増えていって、例えばそれが隅田川程度の規模になった、と。けれど今の日本の社会というのは、**大洪水のアマゾン川状態と言っていいほどモノが溢れた状態**で流れている。でも意識は隅田川程度の流れのままだったりして。そのギャップに無自覚なまま暮らしている、という状態。そして溜め池にある入り口の水門は、きちんと締めているつもりが、モノの圧力がものすごいわけです。加えて割安感やパーセンテージの魔力もあって恒常的に開いてしまっている。そして下水に当たる、要らないものが出ていく**出口の水門は余程意識しないと開かない**。「もったいない」とか「分別が大変」という錆がこびり付いているわけです。

つまり、社会的な要因もあって、入ってきて入ってきて入ってきて、社会的要因や個人的要因で、なかなか出ていかない。こういうところで私たちは暮らしているんだ、ということを自覚するのが大切です。

そして、自分で選んで手に入れるまでもなく、実にモノが勝手にやってくる社会です。一般的な例をいくつか挙げてみましょう。

お中元、お歳暮
景品、粗品
オマケの類い（「今だけ特別に…」という文句が躍る通販や、大してセンスがいいとは言えないペットボトル飲料や、雑誌のオマケなど）
分厚い通販のカタログ（一度買うと何年も送られてきます）
ダイレクトメールやチラシの類い
包装、梱包材、ダンボール、保冷剤
コンビニの箸、スプーン、おしぼり

思い返してみると、これらは毎日のように私たちの暮らしに流れ込んできていることに気づかされます。

アユがナマズになっている？

私たちはこのように、「入ってきて入ってきて、でも出ていかない溜め池」で暮らしているわけです。すると溜め池はどうなるか。ヘドロでいっぱいになります。淀んだところに棲んでいる魚というと…例えばナマズが浮かびますが、私たちはナマズが好むような環境にいるわけですね。こんな例えはナマズに失礼かもしれませんが。でも何が言いたいかというと、動くのが億劫になるわけです。ナマズはシュンシュンと敏捷には泳ぎませんよね。

私たちはもともと、環境次第では清流に棲むアユのように動けるはずなのに、ヘドロを溜め込んで動けない状態になってしまっている。つまり、家の中がモノだらけになっていて、どよーんと滞って、身動きがとれなくなっているのではないでしょうか。

でもどうしてそれに気がつかないか。これには理由があります。だって、シーンとしていればヘドロって沈みますよね。どんなにヘドロがあっても必ず上澄みがある。上澄みに顔を出しているから、自分がヘドロの中にいることに気づかないでいられるような感じですね。でも、体はヘドロで埋まっているから動けない、動きたくない。なんでこんなに疲れるんだろうな、なんでこんなにやる気がしないんだろう、そういう状態です。そのヘドロも、無自覚なまま過ごしていたらどんどん増えていきます。

増えて増えて、あっぷあっぷした状態で人生が終わってしまう、なんてことさえあります。

■モノの流れ～「断」の水門、「捨」の水門～

動くのが億劫で
あっぷあっぷしたナマズ ＝ 私たち
上澄み
「断」の水門
「捨」の水門
ヘドロ ＝ 住まいの物置化
住まいのゴミ溜化
「断」の
水門にかかる
物流の圧力
「捨」の水門の
"捨てられない"錆
●勝手に送られてきて
●割安感につい
●ないと不安 etc.…
●もったいない
●分別が大変
●高かったし etc.…

仕事柄、遺品整理のような場面に立ちあうことがありますが、残された家族がびっくりするようなことがしばしば。うちのおばあちゃん、なんかいいモノを残していったかなと思って押し入れを開けると、包装紙だの箱だの、未開封なのにホコリまみれの贈答品のシーツだの、そういう負の遺産ばかりがいっぱい残っていて、めぼしいモノが何もない、という、そういう状態。

なぜシーンとしているかというと、理由はもう一つ。**かき回すとせっかくの上澄みも濁る**からなんです。シーンとしてさえいれば、濁らなくて、かろうじてここで呼吸できるから大丈夫なのに、意を決して断捨離するぞ、なんてやって、クローゼットや押し入れに納まっているモノを引き出したら、もっと大変なことになる。立体で詰まっていたモノが平面に出るんです。「モノは5倍、ホコリは3倍」という状態。そこに家族が帰ってきて「なんだおまえ、散らかしてるのか片づけてるのかどっちなんだ！」なんて言われようもんなら、ムカッときてしまいますよね。自分だって徒労感いっぱい。それを何度も繰り返して、結局へドロ、つまりガラクタを一掃できないでいる。それが私たちの今の状況ではないでしょうか。

「捨てられない人」の3分類

これまで8年間、断捨離のセミナーを開催し、多くの捨てられない人と出会っていくうちに、**ガラクタを溜め込んでしまう人には、それぞれ3タイプがある**ということがだんだんわかってきました。もちろん、すべてがどれかに当てはまるというわけではなく、いくつか複合していたりしますが、自分自身が、どの傾向が強いか、少し客観的に見えてくるかもしれません。

現実逃避型 忙しくて家に居る時間がないために片づけに向き合えないタイプ。家庭に不満があるなど、実は家に居たくないから忙しくしている、という場合も多い。また、家が散らかっているので余計に家に居たくなくなるという悪循環に陥りがち。

過去執着型 今はもう使っていない過去の遺物を取っておくタイプ。アルバムやトロフィーなどを後生大事に保管。かつての幸せな時代へのこだわりが隠されていることが多い。現実に目を向けたくないという意味では、現実逃避型と絡んでいる場合も。

未来不安型 いつか起こるであろう未来への不安要素に投資するタイプ。特徴としては、ティッシュペーパーなどの日用品を過剰にストックするなど、ないと困る、なくなると不安にフォーカスを当てる。３タイプのうち、一番多いタイプ。

とにかく家に居ない！ 居たくない！～現実逃避型～

「家を片づけるにあたって前提となる必要条件は何か」と尋ねられたら、どう答えますか？ 時間の確保、やる気の喚起…いろいろありますが、最低必要条件はこれです、「家に居ること」。

現実逃避型は、その最低条件である家に居る時間が少ないです。ボランティア活動、ランチ、サークル…活動的な主婦や、仕事が終わると常に飲みに行き、帰ってくるのは毎晩深夜、週末も外出が多い、という男性など。本人は気づいていないですが、実は**忙しいか**

ら家に居ないのではなく、家に居たくないから忙しくしている、ということが多いです。つまり、何かしら家に居たくない理由がベースにあって、それを直視したくないのです。

ケース2 現実と自分の本心を気づかせてくれた、寝室と二棹《さお》の箪笥

結婚して30年。10年前に子供たちも独立し夫と二人暮らしのともこさん。パートやサークル活動、休日の昼は友人とランチ、と忙しく過ごしていた。家に居る時間が少ないため、片づけがおざなりになり、窒息しそうなほどのモノが堆積。手がつけられない状態。それが余計に悪循環を生み、ますます家に帰りたくない衝動に駆られる日々。原因の一つはご主人との関係。事情があって結婚せざるを得なかった夫とは、結婚当初から一緒に居るのが苦痛。断捨離セミナーで改めてそのことに気づかされたともこさんは、家庭内別居状態の今、自分だけの空間=寝室だけでも…と寝室の断捨離を試みた。逃げ回っていた過去と向き合ったともこさん。ある二棹の箪笥と再会する。彼女、実は10年前に離婚を決意。けれど結局それを思い留まった過去が…。そのきっかけこそ、お嫁入りに持ってきた着物を入れたこの二棹の箪笥。もう子供も巣立ち、自分の役目は一段落したから出ていきたい…離婚しようかと思ってその箪笥を見たときに、親がどう思うだろう、悲しむだろう、離婚

したところで経済的自立はどうする…などいろんなことに向き合うのが億劫で結局留まった。自分の魂の自由と箪笥二棹を天秤にかけ、後者が勝った状態。考えてみれば外を出歩く時間が増えていったのはその頃からだった。その10年後、寝室の断捨離を機に、自分自身の本当の気持ちと対峙。箪笥も親への思いも断ちきる決意ができ、離婚に至った。経済的には大変だけど、あのまま何十年と窒息して暮らしていく自分を思うと離婚して良かった、今は家に居るとホッとすると語るともこさん。寝室というパーソナルな空間を片づけることで、「本当に自分が求めていること」を発見したのかもしれない。

おびただしいモノと思い出の量～過去執着型～

過去執着型の方の片づけを手伝う際は大変です。なかなか作業がはかどりません。思い出の品々がおびただしく残っているため、そのモノによってその当時を思い起こしては浸り、エピソードをたくさん披露されることになってしまうから、いつまで経っても終わらないのです。もちろん、過去の思い出やその品々を大切にするのは悪いことではないです。私も息子の子供時代のアルバムや思い出の品を持っていますが、過去執着型の保管の量は並の量ではありません。現実ではなく過去に生きているといった印象です。

ケース3 家族の幸せだった時間〜使わなくなったキャンプ道具が積んである縁側〜

みなこさんの家の物量は半端じゃない。結婚前後からのモノをすべて取ってあるのではないかと思われるほど。昔もらったラブレター、昔読んだ本、男性にとてもモテた若い頃の写真…。かつて30年前に結婚したときのみなこさんは蝶よ花よの時代。ご主人から「おまえが結婚してくれないとオレは死ぬ」などと迫られ、勢いに押されるカタチで結婚。ところがその30年後、なんとそのご主人から「離婚してほしい」と告げられたのだった…。みなこさんのプライドがずたずたなのは言うまでもなく、それを受け入れられない状況。夫婦円満で家族が幸せだった時代を象徴するキャンプ道具をはじめ、どれも捨てようとしてもどうしても捨てられなかった。しかし、その自分の状況を断捨離で直視。少しずつ片づけを進めていき、3年かけてようやく離婚を受け入れることができた。今となっては「なんだ、もっと早くフリーになれば良かった！　新しい恋人をつくるのよ」と意気揚々。けれど執着から離れるのにはそれだけの時間を要したという例。

なくなる不安にフォーカス～未来不安型～

未来不安型は、いつか訪れるかもしれない、そのモノのない未来を妄想します。不安なので、その不安を解消しようとモノを買い込みます。トイレットペーパーを買い込む人は、かつてのオイルショックの衝撃が忘れられないのかもしれません。でも、またオイルショックと同じ状況が訪れる可能性はどれくらいのものでしょう？　そしてその未来はいつ？

未来不安型は、「いつかその未来が来て、手に入らない状況に陥る自分」という事態を勝手に頭の中で作り上げています。逆に言うと、モノを確保しておくことで手に入らない未来をモノ的にも作り上げてしまっている、ということにもなります。また、トイレットペーパーに限らず、ティッシュペーパーやラップ類などの日用品の特売がある度に買ってしまう傾向も。これも、「普段使うモノだから不意になくなったら困る」「こんなに安いなら今買っておかないと、こんな機会はなかなかないかもしれない」というある種の強迫観念ゆえのこと。戸棚のあちこちに使い切れないほどのストックが眠っている、なんてこともしばしば。

ケース4 劇的に効いた薬を15年間取っておく母

15年前、パニック症候群にかかった私の母。そのとき処方してもらった薬が劇的に効いたため、15年後の今も後生大事に薬棚に保管。いつかまた、同じ症状が発症するかもしれないという不安の表れと同時に、「取っておく＝いつか発症する未来」という、ある種のイメージトレーニング状態。当然、使用期限はとうに過ぎている。薬が効いた有り難さが忘れられないのはわかるけれど仮にまた同じ病気が出たとしても、日進月歩で発達している医薬業界、もっといい薬ができているかもしれないのに。不安を解消するために不安の対象である病気の物的証拠を手元に置いてしまっているという悪循環…。

人によって異なる「今」の感覚

捨てられない人たちとのお付き合い中で気づかされたことは、人によって「今」の時間の感覚がまちまちだということでした。

例えば薬を15年間取っておく私の母。母は断捨離という観念はなかなか持てないかもしれません。だって、10年前のこともまるでつい最近のように思えるようなんです。しばらく使っていないであろうモノを指して「お母さん、それは今使っているの？　要るの？　要らないの？」と聞いても「使っている」と言う。冗談めかして「取っておいてもあの世に持っていけないよ」と言うと「いや、あの世で使う」と答えたことも！　どうもいろいろ聞いていく中で、母にとっては20年前までは今の範疇だということがわかってきました。もう、そうなると太刀打ちできないです。違いを認めざるを得ない。

対照的に、子供というのは、常に瞬間を生きていますよね。肉体的にも成長中で、常に自分が変化しているから。環境の変化も年老いた人間よりめまぐるしいです。このように「今」の時間の長さには、生きてきた年齢も少なからず影響するようですが、個人差もあります。そして環境によって変化しうるものだと思います。結局、**自分がどれくらいの期間を「今」として考えるかは自由。でも自分に適切な「今」というのはきっとあるはず**です。断捨離していく中で、自分に合った「今」が見つけられればいいと思います。

捨てられない＝捨てたくない

セミナーの受講生さんがよくおっしゃる言葉で「私、捨てられないタイプなんです」というのがあります。自分で自分を型に押し込めているような表現。どこかで「型だからしょうがない」と割り切ろうとしているような響きもありますね。これをよくよく探っていくと「捨てられない」のではなく「捨てたくない」のではないかと思うことがあります。これは断捨離の「断」で表すとわかりやすいかもしれません。「私、断れないんです。なんでも引き受けちゃうんです。頼まれるとイヤと言えないんです」っていう人がよくいます。で、これは裏返すと、「だって、自分だったら断られるのイヤだもん、私傷つきたくないもん」ということだったりします。つまり自分がされたらイヤだなあという発想です。「捨てられない」でも同じことが言えます。「捨てられない」の向こう側では、モノに感情移入をした結果、自分が「捨てられたくない」＝「捨てたくない」というメカニズムが働いていることになります。結局、**本当は型ではなくて、自分自身の問題**なんです。モノの捨てる捨てないの言葉の表現でここまで内面が見えてくる。

そして、もう要らない、もう似合わない、なのに取っておいているモノ、ありませんか？例えば、着ても気分が浮き立たないバブル時代のスーツ。こういう**「不要・不適・不快」にもかかわらず捨てられないで家にある理由は執着**です。もったいないという執着。着ないのに捨てたくない。捨てたくないと思っているのも疲れるので、忘れてしまい、結果そのまま放置。忘れるというプロセスを辿り、放置か保管かの違いがあるだけで、家に留まっている点では変わりないわけです。でも実質はゴミ同然なんです。

片づかない部屋を「便秘」に例えてみる

そういった執着や心理的事情の有無とは別に、ちょっと押し入れを開けてみるだけで、どっからどう見てもゴミなのになぜかずっと家の中に残り続けているモノっていうのも不思議とあるものです。理由は大概、手間がかかるから。ひとえに面倒なんですね。大きかったり重たかったりしたら実に面倒。小さいもの、例えばボールペン一つとっても、ここはプラスチックで、金属で…って考えだすと、なんとなく捨てづらいなあと思ってしまうもの。で、結局、もう書けないのはわかっていながら、ペン立てに戻してしまうという。「きちんと分別しなきゃ」の良心が働く。分別するくらいなら置いておいたほうがラク、しかもスペース的に置けないことはない。粗大ゴミだって、捨てる場所、日にちが限られていたり、一般ゴミと違うルールを守らなきゃいけない。そういう面倒なこと、煩わしいものは誰だって避けて通りたいもの。そうやって、ガラクタやゴミは放置されてお家の中に残るのです。

ここで部屋を腸に例えてみましょう。こうして、なんらかの理由で捨てられず堆積したモノが、次から次へと入ってきて入ってきて、出ていかない。つまりこれ、便秘状態ということです。食べて食べて便秘。これって心地よいですか？ しんどいですよね。でもその状態が続くと1週間出なくても平気というように症状が進んでしまうことも。気持ち悪いことを気持ち悪いと感じなくなるというのは、体のセンサーがおかしくなっている状態。つまり、**部屋にモノが堆積しているのに慣れきっているのは、便秘で感覚麻痺を起こしていることと相似形**なんです。

しかも便秘の場合、悪玉菌が毒素をどんどん出して、それを腸が再吸収して、体全体に再分配という悪循環が起こります。部屋においては、ガラクタやゴミという悪玉菌から出るガスを24時間吸っているようなものでしょうか。つまり、ガラクタだらけだと、心に影響するガスが発生して自家中毒状態になるような…。お家だって、便秘でいいわけがないです。

便秘にもレベルがあって、その程度によって飲む下剤の強さや錠剤の数が違ってきます。断捨離のセミナーやこの本は、片づかない部屋のための下剤みたいなもので、1回聞いたり、さらっと読んだだけで、すっと行動に移せる人もいれば、何度も読んだり聞いたりしてじわじわと…という人もいるでしょう。かつて、体力的に、年齢的に、一人で片づけることが難しい人にはお手伝いにも行きましたので、いわば私は浣腸師と言ったところでしょうか!? でも、**ちょっと下剤の力を借りれば、本来は自力でできます**。できるはずなのです。けれど、便秘も結局は、下剤だけでは対症療法にすぎません。普段の生活習慣を変えないと根本的には治らない、と。この部分は比喩ではなく、ガラクタだらけの部屋にもまったく同じことが言えますね。

ガラクタやホコリが示す停滞運・腐敗運

ここでガラクタやゴミを生鮮食料品に例えてみます。捨てていないだけで、どっからどう見てもゴミというモノは「**腐ったハム**」と同じです。もはや食べられない（＝使用できない）モノなのですから。

そしてゴミではないけれど、「不要・不適・不快」なモノ、つまり食べられるけど賞味期限切れで美味しくないモノは、「**ひからびたハム**」ということになります。つまりガラクタです。「ひからびたハム」は「もっと腐ってから捨てよう」なんて冷蔵庫に戻したりして。臭いを嗅いで「まだ食べられる」と。でも、いつまで経っても食べる気にはならないモノなのです。でも捨てるのは後ろめたい。そこで、見えない密閉容器みたいなものできちっと密封して中に何が入ってるかわからない、みたいな状態にしてしまう。そうやって「開けるのが怖い」というほどに追い込んでしまうわけです。

このように生鮮食料品に例えると非常にわかりやすい。関係性において「腐ったハム」

なのか、「ひからびたハム」なのか。やっぱり自分が大切であればなんの躊躇なくフレッシュなハムを与えてあげるのが自然なことです。断捨離では、そこを思い切りましょうよ、ということなのです。ある受講生さんがおもしろいことを言いました。「ハムなら腐れば捨てられる。洋服も腐ればいいのに」。確かに、腐れば臭うし、見た目にも変化があるわけだから捨てられます。でも、洋服が腐るなんて悠久の時の流れが要るわけで…。何百年前の服だって博物館で見受けられるくらいですから。でも、**関係性的には、実質腐っているも同然**というモノがあるということを意識してみます。

以前、かなり重症の捨てられない方がいました。せっかく一緒にがんばってガラクタを選り分けたのに、ここに残せばこのまま置いたままだろうな、と危惧したことがありました。仕方なく私、捨てるためにそれを持ち帰りました。そしたら、私の車がカビ臭くなってしまいました。洋服のホコリに付いたカビ、ダニがものすごい。これはもう、物理的にも腐っているに等しいと感じました。

「その家の運気というのは、実は物理的に見える」と言う運命学者もいます。それはホコリの量に出るのだと。仕事柄たくさんの片づかない部屋を見てきているので、とても実感をもってわかります。ホコリはパッと見でわかるので、バロメーターになります。断捨離では、「ひからびたハム」のように、使えるけれど使う気のしないモノの放つ運気を「**停滞運**」、「腐ったハム」状態のゴミ、そしてホコリが発する運気を「**腐敗運**」と呼びます。

でもみなさん、ここからが大事。逆に言うと、**ガラクタ、ゴミ、ホコリを取り除くことで「停滞運」「腐敗運」は取り除ける**、と断捨離では考えます。「不要・不快・不適」なモノを「要・快・適」に入れ替えることで見えない運気まで向上することができるのです。

そして私の実感としては、部屋の中のモノの8割はガラクタとゴミ、つまり「ひからびたハム」と「腐ったハム」で占められていて、そのうち半分はゴミ同然の「腐ったハム」です。

さらにガラクタを3タイプに分ける

「ひからびたハム」ことガラクタをもう少し細かく分類していきましょう。

使っていないモノ 漫然と保管、放置されているモノ。あるいは、あることさえも忘れているモノ。捨てることを先送りしている後ろめたさを伴ったモノ。

使っているモノ 一応使ってはいるものの、気に入っているわけではないので使い方も乱雑。雑然とした中にあってぞんざいに扱われているモノ。

想念の強いモノ 思いが込められているためなかなか捨てづらい、エネルギーの強いモノ。

「使っていないモノ」は言ってみれば呪縛のエネルギーに満ちています。53ページの表現を借りるといわば「**呪縛のヘドロ**」です。だって、本当は捨てなきゃと思っているのにそれを実行しないでいる、そして時が経つうちに、存在すら忘れているわけですから。本来、人に使われるべく生産されたはずのモノにとってみれば、「さみしいよ」『使ってくれよ」「使わないなら別の使ってくれるところにやってくれよ」となりますよね。「うらめしや〜」という感じでしょうか。同時に「いつか処分する」という自分に対する約束も破り続けている。呪縛とともに、自分への信頼感も喪失している、そんなイメージです。

「使っているモノ」は「混乱というヘドロ」。大して好きでもないのに使っている、つまり自分に相応しくないモノを自分で自分に与えているわけですから。使ってはいるけれども、雑然と散らかっている状態も同様です。また、それらは混乱と同時に羞恥心も呼び起こします。散らかっていることや自分に不似合いなモノを与えていることを恥じないメンタリティを持っている人は稀ですね。あるいは、それに慣れきってあまり意識に上ってこなかったとしても潜在意識では恥じていることが多いものです。

「想念の強いモノ」はそのモノ自体が強い気を発しています。絵、骨董、動物の置物、人形など、お焚き上げをするとか、特別な処置が必要そうなモノですね。こういうモノは「使っていないモノ」「使っているモノ」の発する呪縛や混乱のヘドロとはまた異なる、ネガティブなエネルギーが宿っている可能性があります。また、こういうモノに無視や忘却という否定を行うと、呪縛のエネルギーはなおさら強まる気がします。

ここまでわかると、「ガラクタだらけなうえ、雑然と散らかっている」なんていう状態は、無視と否定と混乱と、何重にもネガティブなエネルギーが絡まり合っているようなものだとよくわかりますよね。ヘドロに埋まった状態であっぷあっぷしているわけです。まして、想念の強いモノをそのまま放置しているとしたら…今すぐ部屋の片づけをしたくなりませんか!?

ケース5 いわば「期限切れ」の千羽鶴

ひろきさんは以前病気で手術を受けることになった際、仕事でお世話になっている方々から千羽鶴をいただいた。その後病気は手術をすることなく無事に完治。でも、ひろきさんの住んでいるワンルームのベッドの脇には、治った今もずっと千羽鶴が飾ってあり、ホコリだらけの状態。本人は毎晩これを目にしながら寝ているという。思いがこもっているからこそ捨てられない、とはいえ、この千羽鶴を見続けるということは「重い病気だ、自分は病気だ」というイメージの刷り込みにも変化していき危険と判断。鶴を折ってくれた方々と、健康である現状に感謝を捧げつつ、即刻処分。そもそも、狭い部屋に千羽鶴が強烈なインパクトを放ちつつぶらさがっていて、第三者が見るとかなり異様な環境。でも人間は、それすら麻痺してしまう。慣れとは恐ろしい。どんなに最初は良い思いがこもったモノでも、時間の経過とともに内容は変化する場合が。美味しいものでも、賞味期限が過ぎれば味が悪くなるように…。

そのモノと私は、生きた関係かどうかを見極める

こうして分類・分析していくとよくわかるのですが、結局、ガラクタをひとまとめに表現すると「後ろめたさの集積」、あるいは「不安の集積」なんですね。断捨離では、常に時間軸は「今」とお伝えしていますが、後ろめたさや不安は、過去や未来に軸がずれた状態とも言えます。

ここでまず、後ろめたさについての考察。「使わなかったモノ」は「うらめしや〜」という呪縛を持っているようなものと書きましたが、逆に言うと私たちにも「使いこなせず後ろめたい」という気持ちがどこかにあるわけです。「使わなきゃ、使わなきゃ…」と思いつつもそれが実行できないまま時が過ぎる。今度は「ダメだな、ダメだな…」と自分を責めだす状態。でもまた「いつか使うかもしれない…」と言い訳のようにそのまま放置。これにすごいエネルギーを使う。なぜなら自分で自分を責めて、言い訳をして、の繰り返しですから。**自分で自分にパンチを浴びせては、その傷に絆創膏を貼っているような行為。**

どんどんエネルギーは漏れています。…だったら、もう、証拠隠滅！　捨ててしまえばいいのです。証拠隠滅をしたら無罪です。そうですよね？　と、今はあっけらかんと言えますが、この状態、まさにかつての私です。「断」ができていなかった時期、買っても使わないモノがいっぱい。「でもいつか…」と言い訳のように取っておいて。後ろめたさを積みあげていました。

時間軸が過去や未来にブレてしまう

「ではいざ捨てよう」と思っても、もったいなくてなかなか捨てられないモノというと…。例えばバブルのときに買った肩パットのスーツ。10万円もして高かったなあ、しかも高かった割にあまり着なかったなあ、と。買ったときの10万円という事実がむくむくと自分に押し寄せてきて、**過去に戻ってしまう**のです。かといって、今着るわけでもないのに…。またば、子供の頃に買ってもらったオルガンやピアノ。今弾きもしないのに家の中にデンッとある家も多いですね。昔乗っていた、今はもう錆びて古びた自転車などもよく見かけます。もう事実上ゴミと化しているから処分しなければいけないのに、やっぱり重たいし、面倒だし、捨てるのが億劫なんですね。それはどういうことか。**未来にエネルギーを先送りしている**ことになります。それらがまたモノとして残っているものだから、余計に思いやエネルギーは強化され、混乱を生みます。実に、私の印象では、家にあるモノの8割が、この、過去と未来のゾーンに軸がズレているものだと感じます。

残りの2割、きちんと軸が現在になっているモノ。これらが散らかっていても、断捨離ではそれほど問題にしません。なぜなら関係性が生きているから。ぞんざいに扱っていたり、自分に相応しくないモノもあるかもしれませんが、それを「要・適・快」に入れ替えるのは次の段階。まず、そのモノが「ａｃｔｉｖｅ」な状態であることは正常な状態です。従って、断捨離は**散らかっていることより、過去と未来のゾーンが堆積していることを問題とします**。

現在のゾーンにあるモノもいくつか分類ができます。毎日、月一回、さらに頻度が下がって、季節ごと、半年ごと、年に一回、あるいはお葬式や結婚式などの行事のときなど…、ざっくり分けると「日常」と「非日常」に分かれます。つまり、必ずしも使う頻度が少ないから生きた関係ではない、ということではないのですね。そういうモノもちゃんと見極めて大切に取っておいてください。

ところがよくあるのは、例えば玄関に真夏にもかかわらずスキーが立てかけてある、なんて状況。結局、8割を占める過去と未来のゾーンのモノに圧迫されているからこうなるのでは？　ストーブや扇風機が、季節外れなのに出しっぱなしだったり…。こういうことは気をつけたいですね。

非日常に重きを置かない

また、モノを取り込むときに注意したいのは、非日常にフォーカスしてモノを買う傾向。年に一度も来ない孫や親戚、たまたま泊まりにきた友人のためにわざわざお茶碗や寝具を用意するケースがあります。よく食器棚に、膨大なお客様用の食器類が詰まっていて、実は自分たちの日常使いがちんまり、というお家がありますが、きっとそういうことを繰り返してきたのだと思います。

断捨離では基本的に「お客様用」という発想がありません。自分が気に入って使っているモノをお客様にも使ってもらえばいいという考え方です。自分が普段から使っているモノがすでに、厳選されたいいモノなのですから、他人が使っても十分素敵なモノ、という

■現在のゾーン・過去と未来のゾーン〜生きた関係・終わった関係〜

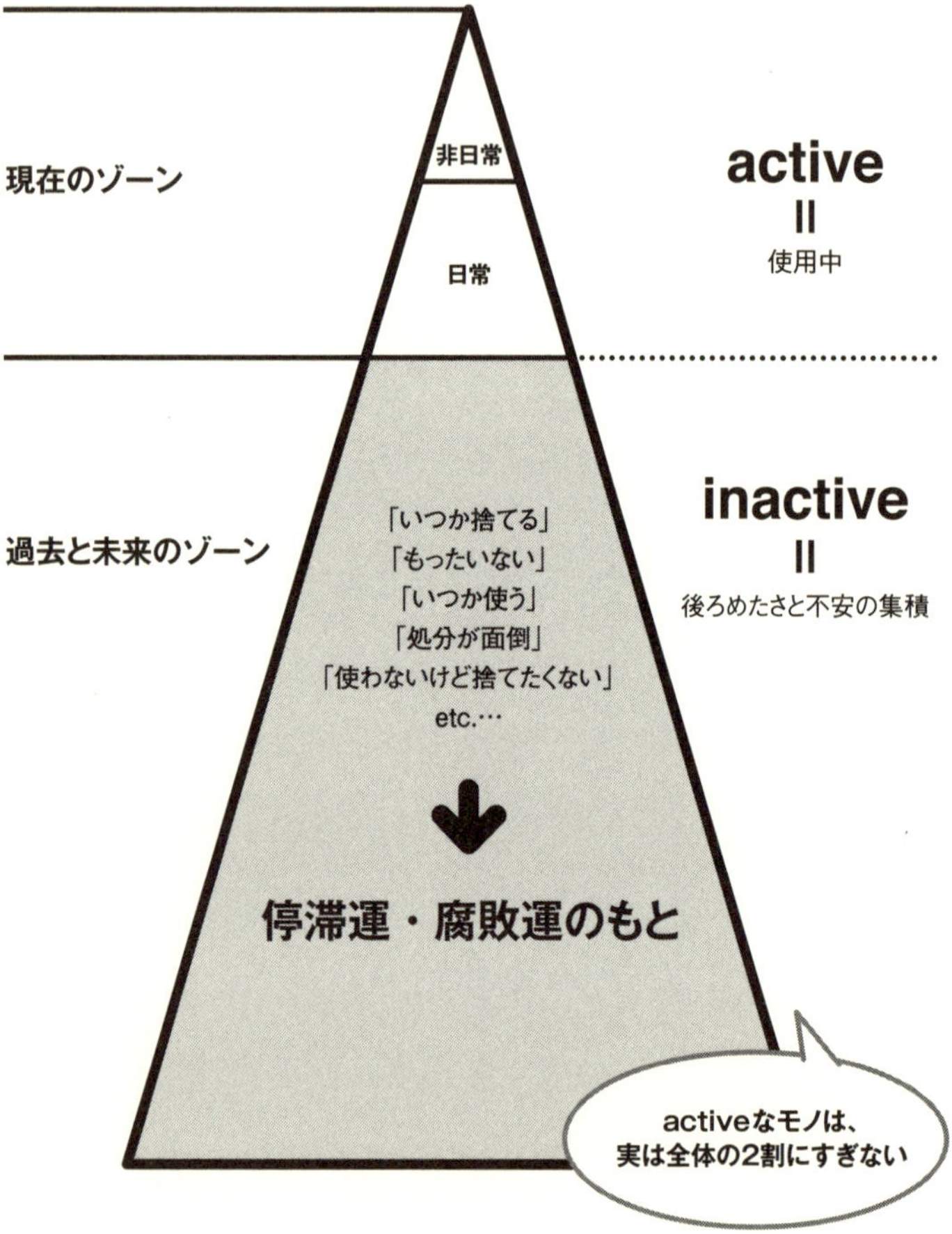

わけです。**年に一度どころか、数年に一度のことにお金をかけるのは、結局「見栄」**なんですよね。二晩泊まっていったとするならば、365日のうちたった2日の非日常に過剰に重きを置いている状態。大抵のお客さんたちは「客用のいい食器・寝具を使いたい」と思って泊まりに来ているわけではないはずですから、見栄を張らずに自然体でもてなすことが一番だと考えます。

自分自身への信頼を取り戻すために

「いつか使うかもしれない」『捨てなきゃいけないのに実行していない」という後ろめたさが生み出すのは、自分自身への不信感。これを友人との約束に例えるとわかりやすいです。

友人と私はランチの約束をしたとします。ところが私が「ごめんなさい今日のランチの約束、急用が入ったので来週にしてもらってもいい？」と言ったとします。友人は快く「大丈夫、来週でもいいわよ」としてくれました。そして来週のその日、「ごめんなさい、今日もちょっと都合が悪くなっちゃって…また来週でもいい？」と私が言ったとします。すると2回目でムッとしながらも「…いいわよ。でも、お忙しいのね、ひでこさん」と許してくれたとします。そしてさらに翌週「ごめんなさい！　今日も都合が悪くなっちゃって…」となったらどう思いますか？　さすがに、1回なら許せるとしても、2回3回となると「この人と約束しても信用できない。先送りされるよりも、いっそもう約束しないほうがマシ」って思いますよね。私の信用レベルはがた落ちです。このことを自分自身にしていませんか？　使おうと思った。なんらかのカタチで処分しようと思った。捨てようと思った。でも、置きっぱなしにしていることで、自分自身との約束を先送りしているのです。それを日々繰り返している。だから自分への信頼感がなくなるわけです。

では、約束を守って、「ごめんなさい。3回も先送りして。今度こそ大丈夫」ということでランチに行った。「迷惑かけたし、今日は私が奢るわ」、なんて言ったら、ちょっと信頼回復しますよね？　それなりに気に病んでくれて、約束を果たしてくれたんだ、と。私への信頼は少し回復しますよね。そうするとエネルギーレベルも上昇する。つまり、疲労感はバイタリティーになる。精力的になる。つまり、モノ一つ片づけることが、約束を守った自分となり、**信頼できる自分への信頼貯金**ができるというわけです。

減点法から加点法へ

ここでもっと大きいのは、減点法から加点法へのシフト。信用できない自分というのは、「今日もやらなかった」「約束を守れなかった」と、ずっと減点法の状態だったわけですが、「今日はやれた」「約束が守れた」という風に、プラスの視点に変わるのです。加点法に変わる。これだけでぐんと自己肯定感が増します。「今日はこれをネットオークションに売ろう」とか「今日はこれを、使ってもらえそうな友達にもらってもらおう」とかそういうことをどんどん行動に移していきます。そうすると一つ一つ信頼貯金ができていく。生活や仕事の中でまだまだ減点したい・せざるを得ない自分もいるのだけれど、こうやってモノの片づけレベルから信頼貯金を増していくことで無駄な自己否定をしなくて済みます。それは心のゆとりと健全さに繋がります。

ケース6 「いつか」っていつ? 放置された英会話の通信教育セット

これは恥ずかしながら私の話。まだ断捨離の「断」の発想がなかった頃、「英語が喋れるとかっこいいなあ」と思い、1年間の英会話の通信教育セットを購入。料金は先払い。毎月教材が送られてくるシステム。でも、冷静に考えたら性格的にそんなことをマメにやるタチでもなく…。後ろめたさは募る一方。で、自分で言い訳をしだす始末。「申し込んだときは時間がたっぷりあると思ったのになんか忙しくなった」とか「夏休みにまとめてやる」「いや冬休みに…」「春休み…」「じゃ、定年後にでも…」と先送りし、ついには忘却の彼方。ある日大量のテキストとカセットがぞろぞろ出てきた。その頃にはもう、自宅にはCDデッキしかなく、カセットデッキはなくなってしまっていた。「いつかいつか…」と自分への言い訳のため長年放置。今思うと、とんだエネルギーのロス。結局は「証拠隠滅」↓「無罪放免」で解放。さっさと始末すれば良かった…。

無視と否定からくるエネルギー

今度はモノの立場に戻ってみましょう。私と2人の友人AさんとBさんが仲良し3人組だったとします。これまでは3人仲良くしてきたのに、あるとき私が態度を豹変させて、3人一緒に居ながらBさんを無視、それどころか目にも入らなくなった。そうすると、Bさん、寂しい気持ちになりますよね。その次には、だんだん腹が立ってきて、「やましたひでこって失礼なやつ！」となる。「このやろう！」と。断捨離では、モノも同じと考えます。モノは「このやろう！」とは言いません。でも長年、こういう仕事をしていると、なんて言うか「うらめしや～」と言っているような気がします。人とモノを同じように考えることが荒唐無稽に思える人もいるかもしれません。でも、もともとは「使おう」と思って手元に残していたはずで、モノもその思いによってこの部屋に連れてこられたわけです。使っていない今、というのは、そのときのその関係を裏切っていることになります。断捨離は常に「モノと自分との関係性」を見ていきますから、その関係が宙ぶらりんになって、**無視どころか忘却の彼方となると、モノは自分の役割を全うできないうえに、存在価値まで否定された状態**。そして、その仕打ちをしている当の自分は、忘れてしまっていて罪悪感は感じていない。けれど、その、かつてあった関係性は、物的証拠としてそこにある、そんな状態です。

さて、それを念頭に、自宅のクローゼットを開けてみましょう。無視と否定の怨念だらけではありませんか？

かつて受講生さんがこのことをユニークに表現してくれました。クローゼットを開けたら、服がぎちぎちに詰まっていた。そのうち、よく着る服は手前の3着くらい。残りの動きのない服はまるで「**お渡りのない大奥の側室みたい**」。かつては将軍様から寵愛を受けて着てもらっていたかもしれない。でも今はこの新しい側室の3着のみをお相手している。ここは大奥だから一度お手つきになったら外に出られないわけです。そこにある服はみんな、いつ渡りがあるか待っている、そんな感じですね。と。将軍様が相手できるのはせいぜい同時進行が3人くらい。残り30人は相手できないのに、いざ渡りのない側室さんが違う世界に行こうとすると執着というか、未練というか、もったいない気になってちょっかい出してみたり、置いておこうとする。そんなことを繰り返しているわけです。怖いですよね？　でも本当は、クローゼットは大奥とは違うわけですから、どうせ着ないんだったら自由にしてあげて新しい人生を歩んでちょうだいって言ってあげたほうがいいんですよね。捨てるだけでなく、人に譲る、リサイクル、と方法はいろいろあります。

人間は生存の欲求より、所属、認知、承認の欲求のほうが強い、と言われています。リストラされて自殺にまで自分を追いやってしまう、というのもその表れです。

クローゼットがパンパンの状態というのは、**所属、認知、承認の欲求が満たされない、「お渡りのない」洋服のエネルギーを常に浴びているような気がしませんか？**

「汚部屋」にしてしまう心理

基本的に部屋を散らかして混乱させてしまう、ぞんざいにしてしまうのは、**自己否定・自己卑下のエネルギーを自分に与えてしまう**ことです。自分のことを恥じています。自分とはこの程度の人間だ、と蔑《さげす》んでいます。そして、自分で意識している以上に恥ずかしさを潜在意識で感じているものです。そのうちに、**不快と感じる回路も麻痺**。こうなると、汚いから恥ずかしいのか、恥じているから部屋が汚いのかわからない。部屋を不潔にしてしまう人も同様。自罰傾向にあります。自身が思い当たるようでしたら、まず、その状況にあることを認識しましょう。これは、自分でできる診断です。そして、改善できるのも自分自身です。

ケース7 外では素敵なインテリアコーディネーター。実は自宅は…

住宅会社でインテリアコーディネーターをしているまゆみさん。「素敵ですね、自宅もさぞかしキレイでしょうね」と仕事を褒められるたびに落ち込むという彼女。だって、自宅は惨憺《さんたん》たる有り様だったから。断捨離セミナーを受講後、なぜインテリアコーディネーターの仕事を始めたか、というところまで見つめ直したまゆみさん。厳格な実家、親のすすめるままの結婚は破綻。そして再婚するも子供がいない自分を責め…。家事だけしか自分には能がないと思い込む。だが、家事を一生懸命やったところで、夫が褒めたり認めたりするわけでもなく…。その頃インテリアコーディネーターの仕事を知り、家の外で自分を認めてもらえる場を発見。しかし対照的に、家事はどんどんおざなりに。家の中と外のギャップはますます大きくなる。常に嘘をついているような状況を招いてしまったことに苦しんでいた。現実逃避型の典型。断捨離を知ることで、少しずつ地道に家を片づけ・整理し信頼貯金ができた。手狭なマンションを引き払い、新しい家を買おうとしていたのもやめた。「家が狭かったんじゃありません。モノが多すぎただけでした」。断捨離で何千万も節約した、とも言える例。

なんのための住まいなのかを改めて考える

多くの片づかない住まいを見てきて、こんな公式が浮かびました。「**量×場所×期間**」。これは環境が受けるエネルギーの大きさです。足し算ではありません、かけ算です。まずは量と期間について。「不要・不適・不快」なモノが大量に長期間あるのと、少しの分量が短期間あるのとでは大違いですよね。そう考えると、蔵のある歴史あるお家にお住まいの方は大変です。長年かけて代々受け継がれたモノがずっしり。一人のモノでも一代こっきりのモノでもない。こうなるとけっこうハンデです。

そして場所。これがまた重要です。例えばよく、簞笥の上に天井までうずたかくモノが積んである家がありますね。こんな寝室で寝ていたとしたら、心身は休まりません。常に圧迫感を感じ、不眠の原因にもなります。そして、床にはいろんなモノが散らばっていてちょっと歩くとつまずく状態。これもまた常に不安定感があります。その不安定感を常に察知するのも疲れるものです。上にモノが堆積しているというのは、気を塞ぐ、という感じがありますね。運気が塞がれるような。では足元は？「足元がおぼつかない」「足元をすくわれる」「足を引っ張られる」など足に関する慣用句はいろいろありますね。そういうことを起こしかねない。だからこそ、それを取り除きましょうよ、と断捨離は考えます。

断捨離で「住育」を目指す

これまで、片づけられない部屋について分類・分析してきました。自分の部屋がどういう状況にあるか、よく見極められましたか？　住まいはこれほどまでに私たち自身を投影します。それにもかかわらず私たちは住まいに対してあまり自覚を持って対峙していないように思います。

そもそも、住まいとはなんのためにあるのか。その原点を考えてみましょう。家は雨風をしのぎ、私たちを寒さや熱さから身を守ってくれます。断捨離では住まいの大前提を「**健康と安全の確保**」と表現します。と考えると、住まいで健康と安全が確保されないのであれば「住まいであって住まいでない」ということになりますね。いろんなモノを溜め込んでホコリを堆積させ、カビ、ダニを発生させていたら環境的に健康ではありません。うずたかくモノが積み上げられ、歩くにも困難なほど床にモノがある。落下の危険、つまずく危険、こんなお家は安全ではないのです。せっかくハード面では高気密・高断熱の素晴らしい健康住宅であったとしても台無しです。家が新しい古いに関係なく、モノを堆積させてしまうと健康と安全は損なわれるわけです。そんな状態なのに、喘息の子供を抱えて一生懸命お医者さんに通う人もいます。お医者さんに行くのも大切ですが、同時にお家もカビ、ダニが発生しないよう、常に簡単に掃除ができる状態にまでモノ減らしをすること。これではじめて、子供の喘息という事態にきちんと対処できていると思います。

一方、食べ物や水に気を遣う人は多いですよね。水も食べ物も人間の土台を形成するものです。人間が生存するための最低ラインを想定すると、水と砂糖だけで約1ヶ月の断食に成功したという人がいるらしい。さらにいくと、飲まず食わずで1週間後に奇跡の救出、なんてニュースもあります。でも、もっと最低限、呼吸を止めたら…人間はものの5分で死に至ります。食べ物や水とは単位が違います。だったら**呼吸の質**というのも、食べ物や水と同じか、いえそれ以上に大切にしなくてはならないと。

「食育」という言葉があるように、私たちは口にするものには比較的意識が高いのですが、住まいに対しては、そしてモノに対しても意識はまだまだ。断捨離は「住育」を目指します。

住環境を意識化してみる〜脱・無自覚〜

自然環境、地球環境、家庭環境、腸内環境…環境にもいろいろな捉え方がありますが、断捨離では環境を三つの観点で考えます。

・**「人に関係する環境」or「場所に関係する環境」**
・**「近い環境」or「遠い環境」**
・**「自力で変えられる環境」or「自力で変えられない環境」**

人に関係する環境は、関わる人が重要になってきます。例えば、家庭環境を変えるのは容易ではありませんよね。でも場所は自分で変えられます。近い遠いで言うと、遠い環境は自分にはダイレクトに影響しません。変えるなら近いほうがいい。などと考えていくと「**場所に関係して、近い、そのうえ自力で変えられる環境**」こそ直近ですぐ変えやすい。

つまり住環境です。

余談ですが「見えるor見えない環境」というのもあります。今、ブームで前世とか先祖とかオーラとかありますが、これもある意味環境です。人に関係する環境です。もし本当にそういうものがあるとしたらなかなか変えづらいですね。変えづらいのに、一生懸命スピリチュアルに凝ってフォーカスしても足元がぐらついてくる。だったら見える環境で一番変えやすい「場の力」をもっと活用していく。変わりたいのであれば、徹底的に見える環境から入るのが大事です。

住環境を変えたければ、まず診断が必要。他人のような目線で自分の家を見てみましょう。例えば、よその家に行くと「なんていう有り様なんだろう」と思うようなことがありませんか？　住んでる本人はもう、うまい具合に見えなくなっているから平気でそこで暮らしているんですね。そう思って家に帰ってみると、自分の家も案外似たようなもんだった、なんてことも。断捨離が途中でストップしてしまう人は、他人のような視点でこの現実を見る行程が辛いんです。ダイエットで体重を量るのに似ています。直視したくない現実。でもそのプロセスこそ重要。第4章で紹介しますが、この辛い状況を切り抜けるテクニックはあります。

住空間はホッとしてこそ～自分で自分をもてなす～

家に帰ってきたとき、部屋がぐちゃぐちゃだったとします。すると、無意識に「はぁ～」とため息が出たり「疲れた…」と言葉を吐いたりします。でも、家がピカピカだと「やっぱり家はホッとするなあ」というポジティブな言葉になる。こういう言葉や無意識に出る仕草、表情、行動は大きいです。一緒に居る相手がしょっちゅうため息をついていたら、相当気が滅入るはず。一人暮らしであっても、その言葉や態度を自分自身に与えていることになります。そう考えると、**言葉や仕草も自分で変えられる環境の一つ**。

自分の家が自分をもてなせる空間になるといいな、と断捨離は考えます。高級レストランに行って自分だけ欠けたお皿が出てきたらイヤですよね。なのに自分の家では自分にそういう扱いをしているのかもしれない。または、高級エステで何万円もする素晴らしいトリートメントと空間を堪能した後、帰ってくると汚い部屋…なんてことも。現実から離れてリラックスしたいという気持ちはわかりますが、そのギャップが激しすぎては、結局自分を貶めていることになりますね。だったら、エステも自宅も極上の空間になればいい。

断捨離は、ギャップを極力取り外していく環境整備でもあります。

以前、ホテルの客室係の方にこんな話を聞いたことがあります。グレードの高い部屋の宿泊客ほど部屋をキレイに整えてチェックアウトするのに対し、スタンダードルームでは悲惨な有り様。どうせ清掃係の仕事だろ、と言わんばかり。誰に見られるわけでもないけれど、自分の始末は自分できっちりと。そういうことが自然にできる自分になれたら素敵です。

住環境とは、自分で変えられる環境。
自分で自分をもてなす空間に。

断捨離 column2 ナイチンゲールが説く住環境と健康

断捨離セミナーの受講生であり、今やセミナーの主催もしてくださっている、断捨離の伝導師（？）、心理療法家・川畑のぶこさんがブログに書いて教えてくれたナイチンゲールの住環境論。100年以上も前に住環境と人の病の関係についてこれほど深い洞察があったとは驚きです。ナイチンゲールは〝戦場の天使〟のイメージで広く知られていますが、病気の起こるメカニズムを住環境からも考察していたというのは意外と知られていないのではないでしょうか。これぞクラター・コンサルタントの元祖!?

「汚物の山積みだけでなく、家のなかを不潔物の溜り場にするものがほかにもある。何年も張り換えない古い壁紙、汚れた敷物、掃除をしない家具、これらは地下室に馬糞の山を置くと同じくらい、空気を不潔にする立派な原因となる。世の人びとは、受けた教育や習慣のせいで、住居の健康法には無関心で、そんなことは考えもしない。そして、すべての病気は当然の成り行きと受け止め、『神の御手のもたらすもの』として『身を委ねて』しまう。また、たとえ家族の健康を守ることを自分の義務として考えることはあっても、さてそれを実施しようとなると、必ずといってよいほど、いろいろな『怠慢と無知』に負けてしまい、元の木阿弥になってしまう。」――『看護覚え書―看護であること・看護でないこと』フロレンス・ナイチンゲール著、湯槇ます訳（現代社刊）

そして、その『怠慢と無知』には主に三つある、としています。要約すると、

1. 自分の目で建物の中を毎日すみずみまで見回る必要があるとは考えていない。
2. 空き部屋についても換気と陽光と清掃とが絶対必要なのだと考えていない。
3. たった一つの窓を開ければ部屋の換気が十分だなどと考えている…など。

今読んでも、グサッとくることばかりですよね。

第3章

まずはアタマの整理から

断捨離的・思考の鉄則

極意は徹底した自分軸、そして時間軸は「今」

では、ここからは実際に断捨離を実践していくうえで欠かせない思考法のコツを紹介していきます。

と書きつつ、すでにお気づきと思いますが、断捨離はとてもシンプルなメソッド。要するに行為としては、まず「捨てる」。第一歩はとにかく、要らないモノをどんどん捨てていけばいいのです。そして捨てる際の極意は、徹底した自分軸と「今」という時間軸になります。「洋服編」とか「キッチン編」のようにジャンルごとにメソッドが異なる、なんてこともありません。とても簡便、明快です。でも、その軸となる考え方をどうやって自分のものにするのか。そのあたりのコツをここではご紹介します。

「自分軸」のコツ〜主語がどこにあるのか問いかける〜

ここに私が使っている眼鏡があるとします。

これをあなたに「どうぞお使いください」と言っても使いませんよね。じゃあこの眼鏡は「使えない眼鏡なのか？」と聞かれたら使えないわけではない、使用可能という判断がくだります。同じ使用可能なモノでも、人によって真逆の判定になります。つまり、使用可能であることと「私が使う」ことは違うわけです。

ところが家の中には「使用可能」というだけで取っておいているモノがたくさんありませんか？

例えばコンビニでもらった箸、使えるか否かと問われれば、使えます。でも、私が使うかというと使わない。すすんで使いたくないモノ。なのにそういうモノをつい、たくさん引き出しの中に取っておいてある。ただ使用可能であるというだけで捨てづらくなる心理、つまり「もったいない」という気持ちに、私たちはよく陥ります。でもそれは、**モノが主役の状態**。眼鏡の例でわかるように、**本来モノは「私が使う」から価値がある**。ところが多くの人は**「眼鏡は使える」「箸は使える」という風に、モノが主語になっている**んですね。主役の座をモノに明け渡している、モノに焦点を合わせている状態です。

そういう観点で部屋を見回してみると…ケーキに付いてくる保冷剤が、ひからびたおしぼりが、もらいもののボールペンが、旅館でもらったタオルが、収納にいっぱい詰まってパンパンになっています。これらは決して「厳選して取っておいてある」とは言い難いモノたち。つまり分別ゴミレベル。そういったグレードのモノが大量に堆積しているのであれば、自分がモノの量、質に無自覚な状態ということ。何ヶ月も、何年も住まいにあるそれらのモノは、生鮮食料品ではないから腐っていないだけ。**機能レベルでは腐敗**しています。そういう環境に自分の身を置いているのは「ゴミ置き場化した部屋に住んでいる」こととなんら変わりないのです。

余談ですが、よくゴミ屋敷の住人、と呼ばれる人がテレビのニュースに出てきますよね。あれはゴミ置き場を通り越して「ゴミ捨て場」状態。あそこまでいくと、モノの量と質に無自覚ではなく「無感覚」です。ゴミをゴミとして認識する感覚をなくしているんです。これは、意図的になくしたような気がします。一概には言えませんが、あの状態で暮らせる人というのは、強烈な孤独経験を過去にしているケースが多いです。一家離散とか、全財産を失ったとか。寂しい、悲しいを感じる感覚があると辛いからその感覚を閉じている。快適を快適と感じる感覚さえ同時に失って、ただ、何かに囲まれて寂しさを癒している、みたいな。そんな無感覚さがあるような気がしてならないですね。でもほとんどの人はそこまでいかないレベルです。大丈夫、意識は変えられます。主語がどこにあるのか、「私」なのか「モノ」にあるのか、を常に意識するクセづくりをする。そうすれば、モノの量と質に意識が向くようになる。要・不要を判断しだします。無自覚なときは、カラになったライターでも、捨てずに後生大事に取っておいてしまいますね。使えなければ、捨てる。**「本当に使えるから私は使っているんだ」と関係を問い直す回路ができ始めます**。

モノを人間関係に例えて「今」を知る

では、このモノとの関係の変化の過程をつかみやすくするために、人間関係に置き換えてみます。

ゴミ置き場状態の部屋というのは、いわば**他人に囲まれて生活**している状態。人だからお家に居ていいのよ、と、全然知り合いでもない他人が、しかもいっぱい居るという状態。気持ち悪いですよね。そこから少しずつステップアップしていって、使用可のモノから自分が主役になって使うか否かをジャッジする段階に移行します。この時点でかなりの進歩。

人間関係だと、**他人から知人にランクアップ**したカタチ。量も激減しますね。海外に行って、外国人ばかりに囲まれていたのに、同じ日本人を見つけてホッとするという感覚にも近いでしょうか。知人の関係からさらに進むと、ここからは、**友達と呼べる人かどうかの確認作業。この段階で「時間軸」が入ってきます。**かつて仲良しだったかもしれない。つまり、かつて重宝したモノかもしれない。昔の愛着があり、懐かしさがこみあげてくる。でも今は価値観がずれてしまい、親密な関係とは言えないかもしれない。そういうモノが見えてきます。この時点で「だから捨てろ」と無理に行動に結びつけるというよりは、そういう視点で見ることができつつあるという変化にまず目を向けていく。そしてその変化を徐々に受け入れていく。つまり**「今」の私にとって必要な友人選びの段階**です。

この視点を持つのは、情が邪魔して苦痛な人も少なくないかもしれません。でも、人間関係だと、余程特別なケースでなければ、関係性が変わっていくのは、自然なこと。なんとなく疎遠になることを、何気なく受け入れているところがあります。でも、モノは残念ながら人間のように、歩いて出ていってくれたりはしませんね。その判断と、判断の結果とる行為、つまり捨てるのか、リサイクルするのか、誰かにもらってもらうのかなどを自分自身が行わなければならないのです。

これを繰り返すと、「今」の自分に要らないモノがどんどん見えていきます。この状態をかつて受講生さんが「捨てているのにどんどんゴミが湧いてくる」と表現しましたが、こうなると街で売っているモノもゴミだらけに見えてくるくらいです。それくらい意識が変わります。この状況を「ガラクタＩＱ」が上がった、と断捨離では言います。さらに上級までいくと、**親友、つまり本当に必要で取っておきのお気に入りだけを選ぶレベル**。だって、たくさんの人と濃いお付き合いをするのは難しいですよね？　だからこれは、かなり厳選された状態になります。

ケース8　亡くなった夫の死を受け入れるきっかけとなった入れ歯

10年前、突然ご主人が亡くなられてから、気力も体力も失っていたかつみさん。夫の死、そして一人暮らしという突然やってきた生活の変化をなかなか受け入れられないでいた。悲嘆にくれた10年間を表しているかのような、ぐちゃぐちゃな台所の有り様に限界を感じ、断捨離をスタート。10年の澱みを、思いきって2時間×3日で解消！　なんと流しの隅からは、亡くなったご主人の入れ歯が…。発見して、大笑い。「あちらの世界で、さぞかしご飯が食べにくかろう」と。そして、ご主人への思いが、まるで入れ歯に象徴されているように思われたのだった。今こうして笑って受け入れられたことを実感し、モノもココロも次のステージへ。大切な思い出は心に持ちつつ、モノを捨てることで「今」あるべき自分に立ち返ることができた。そしてこれまでがウソみたいに、なんの苦もなく、現在もスッキリとした部屋をキープ。断捨離がきっかけとなり、ご主人の死という乗り越え難い辛い事実を受け入れ、そして、すっきりした心持ちで人生の新たなステージへと移行することができたのだった。

モノ選びのコツ。
「使用可能」ではなく
「私が使う」か否かを肝に命じる。

一括りにされる「そうじ」の概念をきちんと理解する

私たちは「そうじ」というとどういう行為を思い浮かべるでしょう？　掃除機をかけることですか？　散らかったモノを収納用品にしまうことですか？　不要なモノを捨てることですか？　思い浮かべる行為は、私たちそれぞれ違うのではないでしょうか。それほどに「そうじ」という言葉が、実は曖昧かつ定義づけされないままに使われているのです。

ではここで質問です。これらは「整頓」「片づけ」のどれに当てはまるでしょうか？

□ソファに置いておいた洗濯物を畳んでおく
□散らばっている玩具をおもちゃ箱にしまう
□出したままになっていた本を本棚に並べる
□用済みの書類をファイルボックスに入れる

□食器乾燥器にかけた皿やコップを棚に戻す

断捨離ではこれらはすべて「整頓」と位置づけます。「片づけ」とは捉えません。20ページでも記したように、断捨離では、片づけを「必要なモノの絞り込み作業」としています。この五つは、言ってみれば、もとあった場所に戻した、あるいは、家の中でモノがカタチを変えて移動した状態、または、ただどかしたにすぎなかったり…。不要なモノを家の外から出してこそ、断捨離の片づけとなります。

「整頓」の行為を「片づけ」の行為と混同する人は多いです。まずこれを、明確にしておきます。

多くの整理術・収納術は、「そうじ」の種類が曖昧なまま、私たちに提供されています。

以前、片づかなくて悩んでいるお宅に伺ったら、買ってから4年もダンボールに眠ったままの掃除機が出てきました。その方には、「そうじ」＝「掃除機」だったのでしょうけど、溢れかえったゴミを片づけない限りいつまで経っても掃除機の出番はありませんよね。

断捨離では「そうじ」を、この**「片づけ」**と、収納術である**「整頓」**と、「掃く・拭く・

磨く」の**「掃除」**とに大きく、そして明確に、3種類に分けています。

思い返してください。この三つ、全然質が違いますよね？　頭の中で使う回路も、体の動かし方も全然違う気がしませんか？　整頓も掃除も、片づけがなされてこそ、スムーズにできるというもの。だって、本を整頓するにしても、無自覚に増えて散らばった100冊の本より、本当に必要なモノだけ絞り込んだ10冊のほうが、圧倒的に早くスムーズに整頓ができます。分類もラクにできます。そしてそもそも、床に散らばっていたとしても片づいている印象すらあります。100冊散らばっている床よりも、10冊が点在している床のほうが、「掃く・拭く・磨く」もしやすい。つまり、**「そうじ」には順序が必要**なのです。

それなのに、日々、片づけをしないまま、つまりは、モノが絞り込まれないまま、おびただしい量がなんら減ることなく、整頓に取り組んでいる…。すぐにまた散らかるし、掃除もしにくいし苦痛に感じる。従って時間もかかり人生の貴重な時間を浪費していることになります。収納術が好きだったり趣味だという人は、それでもいいと思いますが、大概の人はもっと別のことに時間を使いたいですよね。

実は私、こんな風に片づけや整理・収納の話をしているのでよく勘違いされるのですが、無類の面倒くさがり屋です。暮らしにおける細やかな生活の知恵をみなさまに披露するカリスマ主婦ではありません。断捨離に思い至ったのも、結局できるだけ面倒なことをしたくなかったから。収納が苦手なのでモノを減らし、掃除が嫌いなのでラクにできるよう、水平面にモノを置かないようにしている。つまり「そうじ」をできるだけしなくていい状態にするにはどうしたらいいか、という「引き算」の発想なのです。そういう意味では、整理・収納術は結局、整理・収納が得意な人のためにあるものと言えるのかも。でも、そういう人は、放っておいても自分で工夫しだす人たちが多そうですね。**断捨離は、片づけや整理・収納をはじめとする「そうじ」が面倒な人にこそ必要だ**と実感しています。自分がまさにそうだからです。おかげさまで本当にラクです。こうなると「掃く・拭く・磨く」が自然にしたくなり、楽しい作業にさえなります。

風水関連の本や自己啓発の本などで、トイレを磨くことを重用視しているものを見かけます。確かにトイレは大事。住まいの中で一番汚れやすいところをピカピカにしていると、とても気分がいいものです。でも、片づけが全然行き届いていない住まいだったとしたら、ほとんどの人はトイレに手を突っ込んで磨く、なんてことはものすごくハードルが高く感じられるはずです。仮に、部屋がまったく片づいていないのにトイレをピカピカにしたとしても、金運は果たして上がるでしょうか。いささか疑問なのです。

■断捨離における「そうじ」概念図

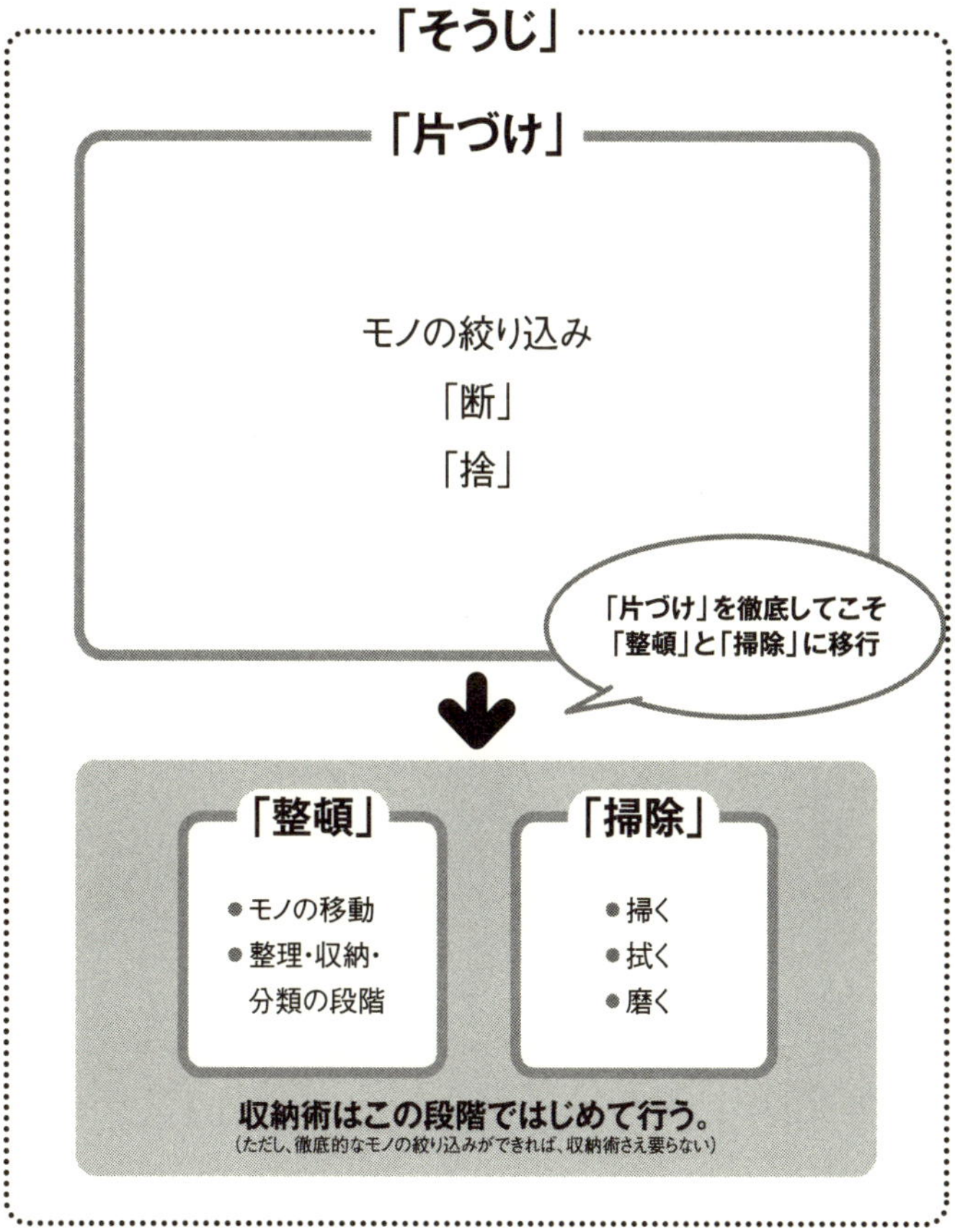

※この本では、「そうじ」を、「片づけ」「整頓」「掃除」という三つのアクションの総称とし、「掃除」と分けて定義しています。

「捨てない損」に目を向ける

経済用語で『パレートの法則』というものがあるのをご存知でしょうか。別名2：8の法則とも言われていて「売り上げの8割を全体の2割の従業員が生み出している」など**多勢の結果を少数の要因が生み出すとされる経験則**のことです。

これまで8年間、セミナーで2000人以上の受講生さんと接し、話をお聞きしたり、場合によっては自宅に伺ったりする中で、個人差はあるものの、モノにもこの法則は当てはまるのではないか、という印象を持っています。

78ページの「現在のゾーン・過去と未来のゾーン」の図は、まさにそれを表していて、実際にモノが価値ある状態で機能しているのは全体の2割程度。しかも、10回のうち8回は、その2割のモノで事足りる気がしています。つまり、**5回に1回しか困らない**。じゃあ、全部持っていれば一度も困らないかというと、モノはそういうわけにもいかない。むしろ、ほとんど来ない出番までは「後ろめたさと不安の集積」として、ただそこにあるだけですから、やっかいなのです。あるほうが困るのです。結局、2割のモノで、5回に4回は間に合っているうえ、ほとんどにおいてやっかいな存在であれば、それはやはり捨てたほうが得というもの。捨てないほうが損なのです。

61ページで捨てられない人の3分類のうちの一つ、未来不安型についてご紹介しましたが、このタイプの方はこの「5回に1回起こる事態」にフォーカスしがち。断捨離の最初のプロセスで、むくむくと「もったいない」「後ろめたい」気持ちが湧いてきたら、この**「捨てない損」を思い出すことは有効**です。

また、モノは持てば持つほど「管理しなきゃ」という事態に陥り、常に追いまくられることになります。でも、忙しくなると管理しきれないため、結局モノの大洪水の状態になってしまうことに。忙しくて余裕がない時期でも、モノが少なければ洪水も最小限。第一、ちゃんと断捨離してモノがお気に入りだけに絞られていたら、管理するのも楽しい。だって好きなモノなのだから。そういうモノは自分と波長の合った、いわば相性の良いエネルギーを帯びた存在。いわば、自分の味方。部屋の中に自分の味方だけが居る状態を作りだす作業、または、宝探し・発掘作業にも似ていると言えます。

泥を掘り返すのは面倒です。でも、泥の中から、宝物を見つけられるとしたら…やはりやらない手はありませんね。

ケース9 溜め込んだ食材が示した、仕事のストレス

教師という職業柄、生徒の家庭を訪問する機会の多いゆみこさん。どの家も座る場所もないほど惨憺たる状態。しかし我が家に帰れば…実は自分も同じような状況だった。ここ数年忙しくて、部屋を整えることなどすっかり放棄していたのだ。紙ゴミ、本などの物量も目につくが、まずとりかかったのが台所。生命活動の根本・食を扱う場が荒れていては、社会活動・精神活動もままならないもの。冷蔵庫は「いつ買い物ができるか不安」とスーパーに行くたびに買い込んだ大量の食材が詰まりっぱなし。冷凍庫には何年も前からある冷凍食品が山のように…。食材の大洪水といった状況を客観的に理解してもらうために、冷蔵庫の一段目にある食材だけ取り出して床に並べてみた。これはある種のショック療法。想像を超えた物量に驚くゆみこさん。発掘される食材の多くが3年前に買い込んだモノだった。聞けば、はじめてクラス担任になった転機の年。責任の重さと評価の狭間で必死だった頃だ。彼女がまず始めたのは「断」。冷蔵庫の食材を食べきるまでは新たな食材をな

るべく買い込まないこと。それをやりきった頃、「断捨離」の流れができ、モノを介した自分改革がスタートした。

その捨てられないモノは、5回に4回は使わないモノだったりしませんか?

「人のモノほどゴミに見える」。家族や同居人との関わり方

一人暮らしでない限り、住空間は家族や同居人と共有する空間。となると、問題になってくるのは人のモノをどうするか、という問題。

はっきり言います。私たちは人のモノのほうが憎たらしいものなのです。人間も動物。2人以上いたら必ず縄張り争いがある。モノを置くことは、犬が電柱でおしっこをかけているのと同じようなマーキング行動的な状況も生み出します。ですから、その存在の主張、承認の欲求を満たしきれていない関係性では、相手のモノがゴミに見えてしまうのです。

例えば奥さんがご主人に「こんなゴミ要らないでしょう?」なんて言ってしまうと、言われたほうは自分が否定されたと感じてしまう。これには傷つきます。不用意にご主人のモノを捨てようものなら激しい抵抗が。ですからもし、人のモノを捨てたいという気持ちがむくむくと湧いてきたとしたら、それは抑えてください。人のモノは勝手に捨てない。

だって自分がされたらイヤでしょう？　それに、これがとても不思議なことに、自分自身が「モノで自分の存在を主張することはないな」と気づけたとき「人のモノがゴミに見えてイライラする気持ち」というのも剥がれ落ちるものなのです。鏡のように投影されるのですね。逆に言うと、自分のモノよりも他人のモノが気になるという状態、それは、自分のことを棚に上げて、人を責めたい気持ちになっていることの表れだったりします。「夫が家を散らかすから、絶対片づくわけないわ」と思っている限りは自分のモノも片づきません。ある受講生さんが言っていました。「なんで子供たちが居間にこんなにモノを置くんだろう！」とイライラしていて、いざ断捨離したら子供のモノより自分のモノのほうが多かった、と。結局、まずは自分なのです。他人をコントロールしようと思わないほうがいいです。

ではどうすればいいか。これには極意があります。**まず他人のことは置いておいて、自分のモノの片づけを楽しんでやる**ことです。「なんて断捨離っておもしろいんだろう」、「ここを片づけたら、ココロまですっきりした！」と、嬉々として楽しんでいる姿、そのご機嫌な様子が伝染するのです。だって断捨離はこれまでの片づけのような、片づけ行為自体が目的だったり義務感の伴う作業などではありません。断捨離は、モノを通した自己発見・

自己肯定のツールなのですから、そのプロセスは楽しいのです。その180度違うコンセプトを私たち自身が行動で示そう、ということですね。

周囲の人を「断捨離スパイラル」に巻き込む

最近感じるのは、受講生さんと同居しているご家族などが、いわば「**断捨離スパイラル**」に自然と巻き込まれていくケースが増えていること。3~4年前までは「夫が抵抗勢力でなかなか…」などという悩み相談が多かったのですが、最近は「私が黙々と断捨離しだしたら、主人もいそいそと片づけ始めました!」という報告が増えています。これは、受講生さん自身の、断捨離への取り組み方・姿勢が変わってきたことも一つの理由でしょう。これまでの「**片づかないことへの不満」が大きな原動力だったのが、もっと自分の内面へとベクトルが向き始めている**。その姿勢がきっと周囲に伝わるのではないでしょうか。それと同時に今、**日本全体で、モノを増やす一辺倒の流れが飽和点に達し、ある種の「気づき」の状態に移行している**、そんな風にも感じます。もちろん個人差はあります。でも、モノとの付き合い方がまだへたくそな、ご主人も、奥さんも、お父さんも、お母さんも、娘さんも、息子さんも…今こそみんなが変われるチャンスにきている、そんな気がしています。

ケース10 蔵のある旧家で起こった奇跡。「山が動いた！」

さやかさんの生まれた家は、蔵まである古い家柄。大きな家のみならず、蔵にも代々受け継いできた大量のモノがひしめいていた。その維持管理を任せられるのは、そこに嫁いできたお嫁さん、つまりはさやかさんのお母さんの役目。しかし、維持管理は任されたものの、捨てる自由はお母さんにはなかった。長年そういう暮らしを強いられてきたお母さん。すでに先代も亡くなり、本来の捨てる自由、処分の決定も自分に取り戻したはずなのに、そんなことも忘れてしまって。モノはただただ堆積する一方。最初にセミナーを受講しにきたのはさやかさん。次回、お母さんを説得して二人で受講。すると、テコでも動かないと思われたお母さんが捨てだした。その捨て方がすごい。泣きながら捨てていた。涙のわけは、モノを手放す辛さ、悲しさ、そして、何よりモノから解放される気持ち良さ。涙の感動したさやかさん。それを表して「山が動いた！」と。歴史ある家ほど、背負ったエネルギーも莫大。それでも、変化は必ず訪れる。

情報過多から知行合一へ

手相、人相、風水など、中国では「相」という概念で、見た目の形象を分析し、運命の状態を見ていく技術を発達させてきました。これは占いに限らず、東洋医学での望診と呼ばれる診断法（顔色や舌の色などの見た目で体質や症状を推し量る）などもそうです。「見える世界」の持つ情報でそのさらなる裏側にある「見えない世界」の状況を診断する。断捨離でもこの「相」という概念を採用しています。これまでも記してきたように、住まいの状態はその人自身の問題点を浮かび上がらせます。だからこそ、「見える世界」をもっと知ろうよ、より良く変えていこうよ、というのが断捨離のモットー。

「相」の世界と意識の世界

「氷山の一角」という言葉がありますが、その一角を見たらその下に見えない塊があることも想像できるという。人間の意識の世界もよくその例えで表現されますね。

一般的に、人間の意識のうちの4～15パーセントと言われている「顕在意識」がそれに当たります。断捨離での、物理的な「見える世界」「見えない世界」というのも同じような構造を持つのではないか、というのが私の仮説です。科学的には証明されているわけではないですが、この「相」の概念、見えない世界との関係性、みなさんは日常において知らず知らずのうちに感じているものかと思います。人だってそうですよね、元気があるとか、元気がないとか、表情や姿勢など、そういうことを見た目で自然に判断しているのですから。でも、ただ読み取るだけ、診断するだけでは、変化を促すことはできても、大きな変化を呼び起こすことは難しいです（考えてみれば、占いの類いのほとんどは診断どまりですね）。でも断捨離では、まず部屋の「相」を知り、「捨」「断」の行動を起こすことで大きな変化を呼び起こすことができます。つまり**4～15パーセントの「見える世界」を動かすことで「見えない世界」まで変えていきましょう**、ということです。

自分を変える、他人を変える、人間関係を変える。目に見えない人の内面や関係性を変えるのは容易ではありません。だから目の前にある環境を変えていきましょうということ。そうしていくうちに、潜在意識の詰まりもきれいになっていく実感が湧いてきます。

例えばこんな感覚です。台所で蛇口をひねって水を出そうとしても、トイレで水を流そうとしても、下水が詰まっていたら安心して流せませんよね。蛇口を開くのにどうしたって抵抗感を覚えます。だったら下水がちゃんと流れるよう整備して「ちゃんと下水は流れるものだ」とわかっていれば、安心して蛇口を開けます。つまり、潜在意識が、新しい何かを受け入れることにちゃんと同意をする。すると、いいものが流れ込んでくる。潜在意識からの情報が来ないのは、詰まっているから。**詰まっているという意識があるから開けようとしない・開けたくないという心理が働いてしまう。だったら家の中で詰まっているものを取り除くことで、そのトレーニングをしましょう。**そういうメカニズムです。部屋の中に滞っているものは「後ろめたさと不安」の象徴。無価値なものです。それを物理的に取り除いていくことによって潜在意識に大きく作用していく、断捨離はそう考えます。

これからは「知行合一」。トレーニングこそ重要

「相」まではわかっている、あるいは他の情報でもいいのですが、知っていることと行うことは天と地ほど違います。卑近な例になりますが、英語を勉強したところでそれを実際

に話したり聞いたり、実地でのトレーニングを行わない限り「身につく」ところまではいかないもの。けれど日本の英語教育では、なかなかその場を与えられていないと実感しています。教えてはもらえるけれど、訓練する時間、機会はない。それでも英語の試験問題はクリアできるかもしれません。が、本来の、英語という言葉を使うことからは離れてしまっていますね。このようなことが、自己啓発のジャンルでも起こっている気がします。巷にはそういう本がたくさん出ています。とてもいいことが書いてあると思いますが、それをトレーニングするチャンス、機会までをプレゼンテーションしている本はあまりないような気がします。断捨離が効果的なのは、今すぐ、自宅で始められること。目の前にあるゴミを1個捨てることから始まるのですから。現代の日本社会に生きていると、情報は溢れんばかりにあります。私たちはこれまで、モノと同様、情報も増やす一辺倒の時代を生きてきました。知ったことと行うことを一致させる、「知行合一《ちこうごういつ》」という言葉がありますが、これからは、**余計な情報も捨ててしまって、自分が行動できることを選んでいくことも必要**ではないでしょうか。ぜひとも**「頭の便秘」からも卒業**したいものです。

「もったいない」の本当の意味

この章の冒頭で「もったいない」という感情は、主語がモノになってしまっている、つまり、「私が使う」ではなく「このモノは使える」という風に、使用可能というだけで捨てづらくなる心理、という説明をしました。しかし、一般的には「もったいない」という表現は「モノを大切にしている」ことの代名詞のようにして通っていますよね。それを捨てるかどうかの取捨選択のときに持ち出してしまうと、**捨てる後ろめたさの免罪符**となってしまいます。でも、この感情自体が間違っているわけではないです。

実は「もったいない」にはもう一種類あります。**モノを愛おしむ気持ち**です。それはぜひ、モノを取り入れるときに意識しましょう。だって、その気持ちが本当にあれば、モノをうっちゃっておけるはずがないのです。ところが、あるのさえ忘れている、もちろんメンテナンスもしていない。あら、こんなモノが出てきた、でも捨てるのは「もったいない」。そういう風に使われてしまっていますが、これはモノを愛おしんでいるのとは違います。

面倒くささの免罪符、あるいは執着なのです。モノを愛おしむ気持ちをモノの入ってくる入り口で意識していれば、使いこなせないモノが堆積することは決してないはず。

そもそも「勿体無い」とは仏教用語。モノの本来の姿がなくなるのを惜しんだり、嘆いたりする気持ちを指すようです。

公共事業削減問題でも見えてくる、二つの「もったいない」

公共事業削減・事業仕分けの問題がここ最近取りざたされるようになってきました。この問題のベースに流れているのは「もったいない」の異なる二つの解釈ではないでしょうか。

そこで思い出されるのは、２００６年、滋賀県知事に当選した嘉田由紀子《かだゆきこ》知事。嘉田知事は、当時、建設・着工されていた新幹線新駅建設の凍結を「もったいない」を合い言葉に中止を訴えました。この駅は利便性、高額な建設費など、計画当初から有用性に疑問の声があり、嘉田知事の当選は、その声に後押しされた形です。かたや建設推進派は、すでに着工されていたことを理由に「ここでやめてしまうのは〝もったいない〟」という論点で対立しました。つまりここでは、**二つの「もったいない」が対立**したわけです。推進派は「すでに建設途中にあるものだから、もったいない」、知事側は「有用性の低い駅にこれ以上の支出をするのが、もったいない」というわけです。新しい駅を取り入れるか、取り入れないのか。これはまさに、54ページの図で描いている、出口（「捨」の水門）と入り口（「断」の水門）での「もったいない」の対立ですね。でも結局、多数の県民から支持を受け、中止にまでこぎつけられたのは嘉田知事の入り口の「もったいない」だったわけですね。

これと同じことは、民主党に政権が替わってからにわかに注目され始めた、ダムの建設計画凍結問題でも起きています。ここまでできているのに中止なんて「もったいない」。いや、不要なダムこそ「もったいない」と。滋賀県の例は幸い、税金のこれ以上の無駄遣いにならなくて良かったのですが、政治や行政レベルで見ると、誰にとっても「ありえない」と思えるような政策・事業がまかり通っているというのは、日頃メディアで散々報道されている通りです。

でも、いざ個人レベルにその問題を持ってきてみると…意外と自分自身も平気で同じような問題を抱えていたりします。「もったいない」の言葉の意味が整理されていなければ、次元は違えど同じような対立構造を作り上げてしまう。どちらの「もったいない」を選択するか。そのジャッジによって私たちの人生の在り方も変わってくる、そんな気さえします。そして、こういう発想も大切。「もったいない」と、ただ取っておくのではなく「もったいない」ならばお裾分けしてみる。「もったいない」からこそ、いつかそのうちのために保管するのではなく、今、この時に必要とされているところへ、モノを送り出す。**「もったいない」を大きな視点で捉えてモノの循環の原動力**にできたら、これも立派な断捨離メソッドです。

捨てる免罪符の「もったいない」ではなく、モノを愛おしむ「もったいない」を意識したいもの。

生きるとは選択の連続。「選ぶ力」を鍛えていく

断捨離の副産物はいろいろありますが「選ぶ力」が磨かれるというのもその一つです。断捨離とは、選び抜いて選び抜いて選び抜いて…というその連続です。その際に持つ物差しが、段階によって異なりますが、物差しは可能な限り単純なほうがいいですよね。そのためには分類は最小限にしていきます。

大量にモノを自分に与えない

私たちが行動しなくなる大きな原因というのに選択肢が多すぎると何も選べなくなるという、「決定回避の法則」というのがあるそうです。20も30もあるところから何かを選ぶのは、把握するのも億劫です。私などは面倒くさがり屋なので、居酒屋の膨大な品数メニューを見るだけでくらくらしてしまいます。ところが「松・竹・梅」とか「A・B・C」

の3種類に絞ってあれば選べるのです。

少し余談ですが、子供というのは、なんでもかんでも与えると、主体性のない、選択能力の低い人に育つそうです。口ぐせが「べつに…」という子供が周りにいませんか？　与えられすぎると自分に必要なモノが何か考える回路ができなくなってしまうのですね。「三つまでは持っていい」「三つの中から選ぼう」「三つに分けよう」…そうするととってもわかりやすいし、行動も起こしやすい。ですから、みなさんお気づきかもしれませんが、断捨離では三つの分類がよく出てきます。「捨てられない人」も「ガラクタ」も「そうじ」も3分類（その他、特に実践の手法に関しては、第4章で詳しく紹介します）。こうすると整理しやすくて、やる気が出ます。結局、選ぶ力をトレーニングすると、生活や仕事などあらゆる局面で「自分は何がしたいのか」という主体性を強化することにもなるのではないでしょうか。

それでも「捨てられない」「譲れない」ような気がするあなたへ！

「大切な人にもらったから」「自分は捨てられない人間だから」「そもそも、私が捨てたり人に譲ったりしたのを知ったら○○さんが寂しい気持ちになるだろう」「人にされたらイヤなことを自分がしてはいけない」「自分はそんな薄情もんじゃない」…そうして要らないモノを取っておいているのは、モノが望むことでしょうか？　あるいはそれは自分にくれた人が本当に望むことでしょうか？　モノは生命体ではないので、モノに意思があるかのように考えることにさえ抵抗があるかもしれません。では、ちょっと質問の角度を変えてみます。本来の機能を果たせないままのモノを放置したり、好きでもないのでぞんざいな扱いをしたり、大切に思ってもいないくせに情に縛られて置いておいたりしている自分が好きですか？

大概の人はそんなことをする自分は好きではないですよね。だってそれこそ、自分がされたらイヤなことのはず。たまたまモノに意思や感情がないだけで、あなたには感情がある。モノは結局、あなたを映しだす鏡。映るのは、自分をないがしろにしていた自分自身です。そういう自分に直面するからこそ、モノと対峙すること、卒業することは勇気がいるし辛い。でも**「そういうものだ」**とメカニズムとしてわかれば、なんだか他愛のないことのような気がしませんか？　なあんだ、問題は自分の外にあるのではなくて、結局全部自分に返ってくるのか、と。だったら、自分を変えるために行動するしかないし、すればいいのだと。人間だって生殺しは一番辛い仕打ち。イヤだったら、合わないのだったら、うまくいきそうにないのだったら、そうハッキリさせたほうがいいことだってありますよね。思っているだけでは意味がない、結局、行動こそがすべてです。

「いつか」「そのうち」を実現できるのはほかでもない、自分自身です。

断捨離 column3 こまつ町家普及プロジェクト〜息を吹き返した町家〜

私の住む石川県小松市は、中心市街地に約1100軒の町家を有する町並みがあります。町家のある町として知られる、同じ石川県の金沢市と比べても集積度が高く、なんと、中心市街地の約４割が「こまつ町家」に当たります。ほとんどが昭和初期に建てられており建築様式が揃っているのが特徴。築年数は大体70年以上です。ところが、これまであまり町の美観に対する意識がなかったためか、まるで普通の商店やビルのように外観を化粧直ししたり（看板建築）、内装もせっかくの土壁にベニヤを張り、その上からビニールクロス張りにしていたりと、もともとの町家の持つ機能性や美観に無自覚な改築がなされてきました。それを改めて見直していこう、というのが「こまつ町家普及プロジェクト」。クラター・コンサルタントとしてそのプロジェクトに参加した私は、かつて、築80年近くの「こまつ町家」を、一人で片づけた経験があります。

この町家は、最後の主が亡くなって７年間空き家状態。おびただしいモノで、部屋という部屋が埋め尽くされ、町家の特徴である意匠と機能を合わせ持つ吹き抜けも、立派な梁も切り取られ、ベニヤ板で塞がれて納戸に変わり果てていました。そこには、なんと大量の布団が詰め込まれて。光と風を失い、窒息しているかのよう。ここの家では、住人の一人が神経的な疾患がもとで亡くなり、その跡を追うようにがんと心臓病で両親が亡くなり…。古びた布団の山と引き換えに、心と体の健康を損なった…そんな憤りさえ感じました。

誰もが気持ち悪がって入ろうとしない家、みな、３分もこの家に居られない家。私は誰の手伝いも得られないまま、片づけ始めました。要・不要を問うこともなく、分別してはひたすら捨てる、の繰り返し。あらかたモノが撤去され光と空気が流れ込むと、人も流れ込む。町家が持つ独特の趣ある構造が息を吹き返しました。拭き掃除を手伝ってくれる人が現れ、覗き込んで見学していく人も。この時の実感。片づけはお祓い！　掃除はお清め！　自分の強靭さにも改めて気づきましたが。温故知新の古民家や町家の再生の輪が広がることも、正しい意味での「もったいない」運動かと思います。

第4章

そしてカラダが動き出す

断捨離的・実践の手法

片づけのモチベーションを上げる方法

これまで、断捨離のメカニズムについて説明してきました。実は、ここからの実践の法則は、ある意味オマケ程度のこと。とにかく、徹底的なモノの絞り込みが断捨離のキモですから、本来、そこには余計なテクニックは必要ありません。

そして、ここはとっても強調しておきたいところなのですが、**モノ減らし＝片づけを徹底すれば、整理・収納すら要らない**のです。セミナーでは半ば本気で「まず、収納家具を捨てましょう」と言うくらい。本当に必要なモノを絞っていけば、モノを分けたり納めたりするテクニックも大して必要ないのです。収納家具や収納グッズは、堆積したモノを押し込めるための道具ですから、これがある、ということは「増やしていいよ」と許可を与えているようなもの。そこからまず、断捨離は疑っていきます。

とはいえ、捨てるのにも、整理・収納するのにも、知っておくとちょっと得をするテクニックはあります。これらは、結局、**モノ減らしのためのガイドライン**。これまでの断捨離のメカニズムをおさえて、いざ実践！となった際に、わかりやすい目安にはなるかと思います。でも、一番のエッセンスは、思い切り、そして勇気と覚悟ですよ！

一点完璧主義でモチベーションを上げる

頭の中を整理するのにまず最初に行ったのは、自分とモノとの関係性という軸、そして今という時間軸でした。ここからの実践において有効なのは、**場所に焦点を当てる**、ということ。そして**場所を選ぶために時間を意識**することです。今日はどれだけの時間、断捨離に時間を割けるか。半日なのか、1時間なのか、15分なのか。その時間から今日断捨離したい場所をあぶり出していくという流れが効率が良く、取り組みやすい。つまり**引き出し1個でもOK。もっと言うと、レシートが詰まったお財布の中からでもいい**んです。

部屋の片づけは、まとまった時間が取れないとできない、というイメージがありますが、断捨離では発想が逆です。そのとき割ける時間から場所を割り出す。だから忙しくても今日からできます。ただし、その時間内で完結できる場所である、というのがポイント。ぐじゃぐじゃと中途半端な状態のまま、ではまた来週、というと達成感も得られないですし、見た目にも満足感が得られない。分かれていたヘドロと上澄みがかき混ざってしまい、かえって散らかっているような状況になってしまいます。ですので、とにかくモノの堆積がヒドく、なかなか重い腰が上がらないという人ほど、どんな小さなポイントでもいいので、一カ所を徹底すると自然にモチベーションが高まります。

モノの堆積した部屋というのは、無意識層では海に溺れているような状態だと断捨離は考えます。だから、**どんなささやかな一カ所でもいいので、陸地に繋がるところを見つけてあげるようなイメージ**です。溺れている住まい全体をいきなり救出するのは難しいかもしれない。でも、一カ所だけでも突き抜けていれば…その引き出しを開けるとニンマリできて元気をもらえるはず。とりあえず、そこの「相」は整ったぞ、と。その、一カ所整った陸地をブレークスルーポイントとして、励みにして取り組んでいけるといいですね。これはモチベーションを上げていくテクニックです。

目的別場所選びのポイント

「私は断捨離で何を得たいか」を考えていき、最初の場所選びを行うのもやる気が増します。その場所をはじめにクリアにすることで断捨離に加速度がつく、という仕組みです。

健康と安全を重視 生存の基本となる場所からスタート。「食べる」「寝る」「排泄する」場所。**例**：台所、寝室、トイレ、風呂場、洗面所など。

深層心理に作用したい 見えない場所、見られたくない場所、見せたくない場所など。「キレイになっても誰も気がつかない、でも自分は知っていて常に気にかかっている」場所。**例**：納戸、あまり開けない収納、その他個別に気になっている場所。

運気を重視 家運を上げたいなら玄関、まずは自分の運をどうにかしたいなら寝室、など。

特に意識の変容が味わえるのは、深層心理に作用する場所選び。やろうと思えばすぐ片づきそうな場所なのに、なぜかずーっと放置したままになっているような場所。人には気づかれないけれど、自分だけひっそりと気になっている場所。なぜか長年、引っかかったまま使っている引き出しなどがそう。「まあ、いいか」となんとなく放置。その程度なので、普段あまり意識に上ってこないようなところかもしれません。でも、気になっているのに「いつか…」と先送りしているので、エネルギーを漏らし続けています。「ちょっと自分を変えたいな、元気になりたいな」と思っているならば、こういうところを重点的にやると「なぜかいつもと違う爽快感」を味わえます。罪悪感から逃れるための風穴が開くようなイメージでしょうか。あるいは、切れたまま放置していてずっと気になっていた蛍光灯をやっと新品に取り替えてみたら、パッとお部屋が明るくなった、そんな気持ち良さがあります。

また、テクニック的なことで言うと、整理・収納が苦手な人というのは、分類思考が不得手なもの。ですから、分類の必要のないところ、つまり、**どっからどう見ても食べ物しか入っていない冷蔵庫、履物しか入っていない下駄箱などから手をつける**とあまりストレスを感じないかもしれません。といっても、本当は食べ物なり、靴しか入っていないはずのところに、全然違うものが混在しているという人もけっこういるはず。だからこそ、そういう場所は「食べる／食べない」『おいしい／おいしくない」など、自分を主語にした取捨選択と分類をトレーニングする場としては最適なのです。そこには「自分が食べたくておいしそうな食べ物」だけを置けばいいとなれば、そこから取り出して捨てるモノも自ずとハッキリしてきます。

時間から導き出す場所選びと、目的別とを組み合わせて、**「健康と安全を重視」→「時間は1時間」→「分類は苦手」＝冷蔵庫の上の段**、という風に絞っていけば、その時々に合った断捨離スポットが見つかりそうですね。

一点を完璧にすることで、「片づけ」の突破口は開ける。

断捨離は、一にも二にも捨てることから

これまでも繰り返し、言葉を尽くして捨てることの重要性を書いてきました。断捨離のプロセスは「減らす・分ける・納める」。その「減らす」をまず徹底します。本来人間は、捨てるのが嫌なもの。人間がモノを蓄えようとするのは本能です。何かの危機に備えておこうという意識がどうしても働いてしまうんですね。でも、必要な蓄えを遥かに通り越して、モノが飽和、しかも極端に不均衡に存在している今の時代。**長い人類の歴史からするとこのモノの量は異常事態**。本来必要なモノの量にそれほど個人差はないはずなのに、ほとんどの日本人が、そのモノに溺れるようにして暮らしている、溺れているという意識すらなく。そしてそのギャップに苦しめられているのですね。それも知らず知らずのうちに。

「どこからどう見てもゴミ」から取り組む

「どこから捨てるか」が大体決まったならば、今度は「何から捨てよう」と考えていきます。「何から」と考えて大概最初に思いつくもの、それがまた、自分が一番捨てたくない、頓挫しやすいモノだったりします。本好きな人が本…というようなことですね。残すか、売るか、捨てるか、の取捨選択にとても時間がかかります。洋服や食器などもそう、**こだわりが入ってくるモノは後回し**！　まずは、**どこからどう見てもゴミというモノが必ず山ほどあるはず**なので、それを捨てていきます。その際、モノの仕分けはしません。一番最初の物差しはシンプルに。とにかく「要る／要らない」だけを問いかけます。一度その物差しでやりきって、また後日、片づけた場所を見てみると…当初迷ったのに「これも捨ててもいいかも」と、モノを捨てるハードルが低くなっていたりします。そうすると加速度がついて、もっと広い空間も着手できるようになってきます。「要る／要らない」の物差しに「快／不快」の物差しが加わり、感性レベルの取捨選択ができるようになってくるんですね。これぞ、ガラクタＩＱが高まった状態。そして大抵の人が後から気づくのです。「やっぱり迷うモノは要らなかったんだなあ」と。迷うというのは、感性が試されている証拠。そう思うと、辛いけれども必要なプロセスなんですね。こうして、一歩一歩捨てられる自分になっていきます。

ゴミの分別というハードル

ハードル、と少し大げさに書いてみましたが、実は分別というハードルはそれほど高くありません。それより「もったいない」などの執着のほうが余程やっかい。だから、ちょっとのコツを覚えると、分別というハードルを乗り越えるのはカンタンです。

ご存知のように、ゴミの分別は自治体によってまったく異なります。愛知県碧南《へきなん》市では26分類、徳島県上勝《かみかつ》町ではなんと34分類というから、大変なこと。でも、ゴミの細かい分類は一度やり出すと快感になる人も多いようですね。

分別が20も30もあるからといって、それだけの数のゴミ箱を置くなんてことは不可能なわけで。そうなると、分けるのにもテクニックが必要になりますよね。125ページで選ぶ力を鍛える三つの分類について書きましたが、ここでも**大まかに三つに分けることから始めます**。あとは、それぞれの自治体ごとの違いがありますので、これをもとに応用してみてください。

ゴミの大分類

まずは、一番収拾頻度の高い「一般ゴミ」、そして「資源になるゴミ」「資源にならないゴミ」です。粗大ゴミはどちらかというと「資源にならないゴミ」に入りますが、これはその都度の回収になりますので、別枠で考えます。

一般ゴミ 週に2〜3回の一番収拾頻度の高いゴミ。生ゴミ、資源として回収できない古紙など。基本的に「燃やすゴミ」。

資源になるゴミ リサイクルできるゴミ。ビン、缶、ペットボトル、プラマークの付いたプラスチックの容器や包装、古紙など。

資源にならないゴミ 一般ゴミにも資源になるゴミにも入らないゴミ。割れたガラス製品、スプレー缶など。基本的に「燃やさないゴミ」。

余談ですが、よくプラスチックのゴミをプラマークのゴミ（資源になるゴミ）と勘違いする方がいるようです。**プラマークは包装容器リサイクル法によって導入されたものなので、容器や包装にしかつきません。**プラスチック製品のゴミが一般ゴミに入るか、資源にならないゴミに入るかは自治体ごとのゴミ処理能力によって異なるようです。とにかく、この三つだけは分けておいてあとの細かい分類は「当日の朝までにやること」と「当日の朝やること」などを決めておけばあとはラク。最初から細かい分別、まるで辞書を引いて辿っていくようなことをすると、エネルギーを浪費してしまうことになります。最初はざっくり3分類からスタートすると、ややこしいはずの分別も意外とすんなりできるものです。

捨てるときは「ごめんなさい」と「ありがとう」

人からいただいたモノで捨てづらいモノ、誰しもありますよね。人からいただいたモノが、自然と自分のお気に入りになる、もちろんこれがベスト。でも、必ずしもそうでないこともしばしば。かといって、処分しようにもその人の顔が浮かんでくる…。

これを手紙に置き換えてみます。大概、自分が誰かに書いた手紙なんて内容を覚えてないですよね。何年も前ならなおさら。でも、もらったほうは持っていて、時には読み返したり、なんてことも。要するに、手紙に限らずモノだって、**贈ったほうはそれほど覚えていないことが多い**のです。自分の手元にあるわけでもないですから。

じゃあ、覚えていないからさっさと捨てられるかというと、そう簡単にはいかないのですが、もし、贈った当の本人が「捨てたいのに捨てづらくて、ただただ困っているあなた」を知ったらおそらくとても悲しみますよね。贈ったことも悔やまれるし、捨てづらくて悶々としているあなたに申し訳ない、と。だったら結局、潔く捨てたほうがいい。そういうとき、断捨離では、**捨てるときに「ごめんなさい。ありがとう」と思いを口にしましょう**、とお話ししています。モノに語りかけてこそ、気持ちの整理も早くつきますね。

人からいただいたモノだけでなく、長年大事に使っていたモノを捨てるときも「ありがとう」。使い切れなかったモノには「ごめんなさい」。そう口に出して言います。

モノを贈ったりもらったり、そしてその後の処分、ということに関しては、意外と共通認識やガイドラインがなくて、なんだかもやもやしたまま、結果モノのやり場を保留にしている人が多いような気がします。そういうときは、処分の際に謝罪と感謝を形にしてみると、少し心が晴れるものです。

と、モノを贈ったりもらったりすることについて深く考え始めると、不用意に人にプレゼントをするものじゃない、とも思えてきます。これもある意味「断」ですね。

人に譲る際は「あげる」でなく「もらってもらう」

捨てるには忍びない、でも自分は使わない、でも、誰かが使ってくれそうなモノ。モノを見ていてぼんやりと「あ、あの人だ！」と顔が浮かぶ。断捨離は、なんでもかんでも捨てよう、と言っているわけではなくて、最終的な目標は「必要な時に・必要なところに・必要なだけ」ですから、大事に使ってくれそうな友人に譲ったり、リサイクルショップを利用したり、モノのリサイクルも大いに活用していきます。ただ、友人に譲る際に気をつけたいのは、「あげる」という言葉。「あげる」は上から目線。「私は要らないから」「あなた欲しいでしょ？」なんていう高飛車な言葉にも聞こえてきそうな表現です。そうではなくて、**「私のところでは使いこなせなかった」、でも「あなたなら大事に使ってもらえそう」、だから「もらってもらえる？」**と言うと、相手も気持ちよく応えてくれるもの。骨董やヴィンテージのような特殊な世界でない限り「使い古しがいい」という人はなかなか

■場所選びと片づけのプロセス

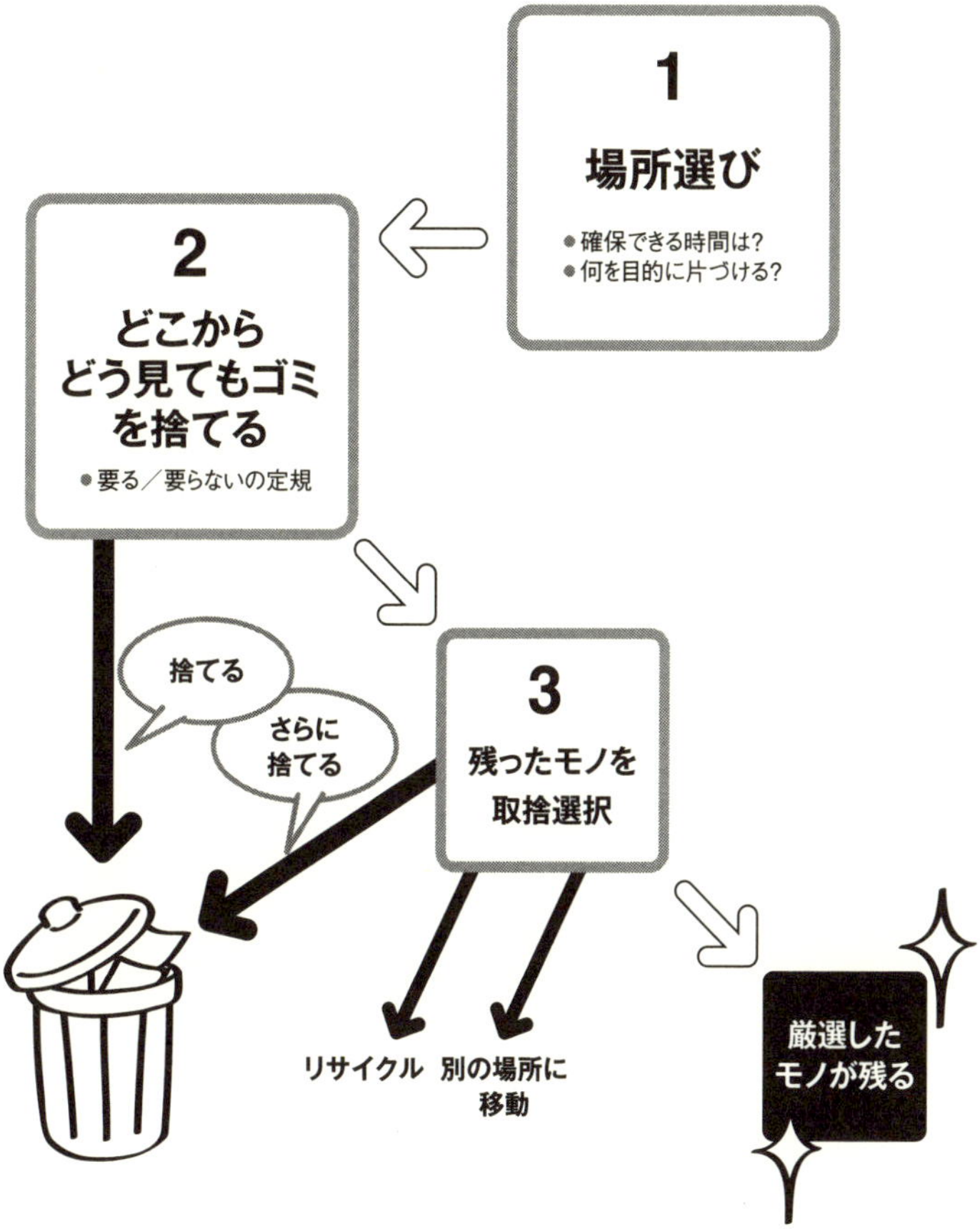

いませんよね。でも「あなたなら大事にしてもらえそう。もらってもらえる？」と言われたら、自分のことを思ってくれていることが伝わります。自分が軸になっている「要らない→あげる」ではなくて、相手が軸です。ただし、その際「要らなかったら遠慮なく捨てるか、人に譲ってもらっていいからね」と一言必ず添える。もらってもらう人の負担にならないように気を遣いたいものです。そしてやっぱり、ゴミやガラクタに近いモノ、念がこもっているようなモノは贈る気がしませんよね。「親の形見の品なんだけど…」と言われても無関係なら欲しいとは思わない。これは、最低限のマナーかな、と思います。断捨離の上級者は、リサイクル上手です。徹底的に断捨離してしまえば、ゴミかリサイクルかに迷うモノも少なくなります。そしてもし、新たにお気に入りを見つけて、それまでのモノを手放して人に譲ることになったら…もともとは厳選して使っていたモノ、いいモノには違いないので、喜んで使ってもらえる可能性も高い、ですよね。日本人は穢《けが》れ思想を持ちがちですが、本来、素敵なモノが大切に使ってもらえる人へと循環していくならば、それはまた別問題。そして、この世界には、十分にモノがない社会だってあります。リサイクルのシステムが今以上に発達して、モノが必要なところに循環していくこと、それも断捨離のもくろみの一つです。

大・中・小「三つの仕分けの法則」を整理・収納に落とし込む

では今度は、整理・収納に入っていきます。ここでもやはり重要になってくるのは「三つの仕分けの法則」。三つの仕分けの連続でモノが自動的に整理されていく、という手法です。

三つに仕分ける前にまず必要なのは、俯瞰でモノを見るということ。俯瞰《ふかん》で見るとはどういうことか。例えば、私はホテルのビュッフェに行ったらまず、ざーっと歩いてどんな料理があるのか見渡します。すると、ざっくり「前菜」「メイン」「デザート」があるなと見えてくるわけですね。間違っても、いきなりお皿を持って手前から取りたい放題、なんてことはしません。自分のお腹具合、お皿の大きさとも相談しつつ、その3分類からどれをピックアップするか吟味できます。整理・収納の現場で言うと、手前からじゃんじゃかと始めていくより、「俯瞰→三つの仕分け」というプロセスでより効率的に整理ができるというわけですね。

ここでは台所を例に説明していきます。ざーっと見渡して、大分類に当たる**「食材」「調理器具」「食器」**とに分けてみます。台所は食事を作るところなので、これ以外のモノはないはず。機能に沿ったモノがあるのが正しい姿ですから。もし、自分の中で分類ができているつもりでも収納を開けてみたら調理器具のところに調味料があった、という場合は、頭がまだ整理されていないのかもしれません。原則はこの大分類が混在しないこと。たまに戸棚に食器と紛れてひからびた食べ物が混在しているような家がありますが、そういうことだけは避けたいですね。

では「食材」の中分類から。これに関しては、かなり各自の家庭の事情が絡んできますが、私の家の場合、食材は調味料も含めて冷蔵庫で一元管理なので、生鮮食料品に限らず、すべてここに入っています。扉が上中下に分かれていますが、上は普通の冷蔵品で乾物も調味料もここに。中は野菜室。その中での分類は葉物と根菜くらいのもの。下は冷凍庫。うちの場合は冷凍食品はほとんどありません。この前アイスクリームが2個入っていたんですが、もう食べてしまったのでカラです。

次に「調理器具」の中分類に入ります。大まかに分けて**「シンク周りの道具」「コンロ周**

■台所の三つの仕分けの例

大分類	中分類	小分類		
食器	皿	大皿	小皿	その他
	器	瀬戸物	漆器	その他
	飲み物の器	グラス	和の器	洋の器
調理器具	電化製品	加熱	下ごしらえ	その他
	シンク周り	ボウル	ザル	刃物
	コンロ周り	鍋	フライパン	ツール
食材	冷凍庫	調理済	調理前	アイス
	野菜室	根菜	葉物	薬味
	冷蔵室	飲み物	食品	調味料

りの道具」「電化製品」としてみます。シンク周りだとボウルとかザル、包丁、まな板など。コンロ周りだと、フライパン、鍋、フライ返し、おたまなど。電化製品は、フードプロセッサーや電動計り、ミキサーなどキッチン周りの小型家電としてみましたが、分け方は、自由です。そして、それを自分の生活スタイルに合わせて考えるのが、頭の体操にもなります。すり鉢はどうしよう、とか、下ごしらえに使うことが多いからシンク周りかな、とか、落とし蓋はコンロ周りで使うことが多いからこっち、とか、そうやって自分なりのルールを決めていきます。

なぜ3分類がちょうどいいのか

このように、ひとしきり分けてみましたが、要するにこれもゴミの分類と一緒で、**一度に細かい分類から入らないこと**、が肝心。たくさんの引き出しや間仕切りに象徴されるように、収納術、収納家具はこの細かい分類にいきなり入るものが多いので混乱を生みます。私たちは、三つまでなら迷わず分類できます。二つだとちょっと物足りない。四つ以上になると今度は、覚えられなくて混乱する。結果、いずれにしても疲れます。大きいほうから三つに分けて、さらに三つに分けて…と、だんだん小さく分けていくと不思議と分類がスムーズにいくもの。わかりやすい例が住所。いきなり麻布何番地と言われても困るわけです。日本国、東京都、港区という風にフォーカスしていく順序を守らないと、とっちらかります。

会議などでも、議長にあたる人にはこの概念は欠かせません。あちこちで各論を展開されて惑わされてしまうと、いつまで経っても会議は終わりません。ちゃんと、今回話すべき大きな課題に引き戻すよう心がけないと、まとまる話もまとまりませんね。収納の分類は、仕事で必要な技術も磨いてくれます。整理・収納を通した、能率アップのトレーニングにもなりますね。

三つの仕分けの連続で、モノの整理における混乱は避けられる。

七・五・一
「総量規制の法則」でゆとりある空間作り

最近の住宅は収納が充実している家が増えています。収納にも種類がありますが、押し入れ、クローゼット、引き出しなど**「見えない収納」**というのが大半を占めています。中が見えない、というのがミソ。見えないからいくらごちゃごちゃ詰まっていても人にバレないし、自分だって普段から目にしないで済みます。だからといって、ここに１００％どころか１２０％詰め込むような人がいます。そうなると開けようと思っても開かない。やっと開いたと思ったら雪崩！といった事態に。

断捨離では**見えない収納をあえて7割収納**としています（口絵2ページ参照）。なぜ３割空けるか。それは心理的に仕舞いたくなるからです。３割はモノの通り道となります。これはある種の環境論。モノの通り道があるから、仕舞いたくなるわけです。

例えばその引き出しが、壁に囲まれた平面の駐車場だったとします。停められるところがいっぱいあるからといってみっちり車を入れると、出すのにいちいち移動してもらわなきゃいけないですよね。スムーズに車を出し入れするには、当然のことながら通り道の確保が必要です。ところが、収納術の場合、9台車を持っていたら、9台分の駐車場を増設しましょう、という発想。これにはお金も手間ひまもかかります。

断捨離では、そもそも私のライフスタイルに9台車がいるのかという見直しから入っていきます。そしたら、都会なら1台でいいし、地方でもせいぜい2台、あって3台という風になります。収納術というのは、基本的にプラスの解決法です。増えて増えて増えていったモノをパッキングしていくような作業。モノが増えれば増えるほど、収納も増設しなければいけない、というスパイラル。断捨離の視点からすると、**要らないモノを手間ひまかけて収納するのは根本的な解決にはならない**ですね。

次は食器棚、サイドボードなどの**「見える収納」**。こちらの美的限界量は5割です（口絵2ページ参照）。5割というのは実に少ないです。だって、わんさか見える限りは美しいと言えないものです。激安量販店はモノがビッチリ、ところ狭しと並んでいます。一方高級ブティックは、棚にはらはらっとしかモノが置かれていない。だから美しいし、品がある。同じグッチのバッグでも、置いてある場所が前者か後者かでまったく違うものに見えます。

ただ、同じ見える収納でも、情報を扱う本棚やCDラックに関しては、職業や趣味によって絶対量が大きく左右されますので、この限りではありませんが、本当に必要なモノだけを絞っていくと結局は5割程度に納まると思います。

更に、装飾的に見せる、つまり**「見せる収納」**。ここまでいくと1割です。つまり最小限度ということ。例えば美術展に行って、絵画を見たとします。その展覧会のチラシにドーンと印刷されているような代表的な名画は、広い空間に一つだけ飾ってあることが多いでしょう。それ以外のメインじゃない絵は壁にバタバタ掛けてある。そうやってメリハリを出して演出をしているわけですね。これを住まいにも応用します。日常的な雑貨品でも、この空間の魔法を使えば見事な装飾品になり得ます。そこで波動が違ってくる。いくらいい絵でもベタベタ貼ると波動が雑多になりますね。少なくしたら、どんなに狭いあばら屋だったとして、自ずと高級感が醸し出されます。

モノが制限されていると、とにかく**「掃く・拭く・磨く」がラク**になります。ラクどころか楽しい！　台所のお皿洗いでさえそうなります。洗いものの数も少なくなりますし、お気に入りの器というのは洗うのも楽しいんですね。「掃除」や「洗いもの」などの作業が苦手な人ほど、モノの絞り込みを徹底してみると劇的に気分がラクになるのを感じると思います。そして、「磨く」楽しさ。シンクや床をピカピカに磨きあげる行為は、清々しいものです。物理的に自分で光らせることができる楽しさ。こういうことも自分の心に一つ一つインプットされていくようです。

総量規制に伴う「入れ替えの法則」

最初、モノの大洪水の中で暮らしていると「7、5、1割しか置けないの！」と思ってしまうかもしれません。でも、モノ減らしができたら今度は**「7、5、1割持っていいんだ」という発想**になれます。その制限の中でお気に入りを選ぶことが楽しくなってきます。「見える収納」に10入っていたとしたら、どの五つにするか、という選択が必要となります。そうしたときに、「お気に入りのトップ5を選ぼう」と思うと心が躍りますよね。

7、5、1割と徹底的に繰り返しやってると、自動的にクラスが上がっていくのを実感できます。厳選されたモノだけになるので当然と言えば当然。ただし、これは「**総量規制の法則**」があってこそ。総量規制の法則で、5個、お気に入りを持っていいとします。まず「断」で、本当に自分が気に入ったモノしか入れない状態のところ、仮に新たなお気に入りが手に入ったとしたら、これまでの末席にいたモノを手放す、という循環が起こります。このサイクルを繰り返すとどうなるか。自然とランクの高いモノだけが残りますよね。それはすなわち、自分自身のランクも上がったことになる。それに焦点がぼけない。こうして**「常にトップ5のモノとお付き合いするベストな私」**という状態を育てていけるわけです。

総量を規制することで
お気に入りはより厳選。
自動的にランクアップする私に。

ワンタッチ&自立・自由・自在の法則

モノ減らしをして、大・中・小と分類して、総量規制の概念も頭に入れました。あとは、モノをどうしたら取り出しやすく仕舞いやすい位置に置くことができるか、という段階に入ります。

ここで意識したいのは、極力ストレスを感じない収納法ということ。ちょっとしたストレスが「面倒くさい」につながり、モノを取り出したり仕舞ったりすることが億劫になってしまうからです。

また、見た目も大切。例えば布ものを畳んだときに、すっきりときれいに見えるように畳んだ背の部分を見せるようにして置くなど。実は、意識するまでもなく、ほとんどの人はそれを知らず知らずに行っていると思います。そのほうが取り出しやすそうに見えるからですね。そういうことを一つ一つ意識的に行っていくのが、この収納の段階。部屋の隅々まで意識が行き渡り、自在な空間を作り出すことができます。

ワンタッチの法則

モノを取り出したり仕舞ったりする際は、できる限り素早く行いたいもの。ところが、収納の扉があって、中の箱を取り出して、蓋を開けるという三つの動作が入ってくると、もうそれだけで人間は「面倒くさい」という心理に陥るものです。しまいには、片づけるのが面倒で、その辺の水平面にポンッと置いたままにする。すなわち動作は1回で済みます。**モノの出し入れに要する動作は、扉を開けて、取り出すというせいぜい二つ程度に絞る**と快適です。そうやって無駄な動きを省くための工夫をすることで、余計なストレスはなくなり「面倒くさい」を理由にしなくなります。これもまた、工夫をしだすとおもしろいです。

私の場合、基本的に入れものの蓋は取ってしまいます。小分け袋に入っているようなモノならばなおさら蓋は必要ないですよね（口絵2ページ参照）。このコーヒーのクリームの場合、袋の口の部分を外側へ一つ折り返して口を開いたままの状態で冷蔵庫に置いています。こうすると、パッと冷蔵庫を開けて、すっと取り出せます。

よくこういう袋に入ったモノを輪ゴムで留めておく人がいますが、輪ゴムは留めるのも外すのも少し手間がかかりますよね。そして、そもそもそんな風に密封する必要があるのかを疑います。口を閉じておく必要がある場合は、私は輪ゴムは使わず、きつい洗濯バサミで挟んでいます。このほうがワンタッチで開け閉めできます。

自立・自由・自在の法則

とにかく、収納では、どんなときも「立てる」ことを意識します。**モノを「自立」させる**ということ。タオルだって立てます。我が家では台所のタオルは四角いトレーに入る10枚まで、と決めているのですが、そこに入れることで総量規制もできるし、立てて入れているので崩れません。引き出しだと底まで把握できないですし、奥から取るときは時間がかかります。取り出したいモノをすっと取り出せて使える。これってすごくラクですよ。

ここで言う「自由」というのは、選ぶ自由ということ。選びやすい状態で並んでいるかどうか。コンビニのペットボトルって、同じ種類がだだ〜っと列で並んでいて、種類と量ともに一目でわかるように陳列してありますよね。食器棚でも同じような法則性を持たせると有効です。丸いグラス、四角いグラス、陶器のグラス。種類ごとに列で並べましょう。よく、これが混在していて、奥のモノが取り出しにくいために結局前にあるモノしか使わなかった、という事態になりがちです。

では立てられないものをどうするか。これは**丸めて「自在」**にします。自在とは、「意のまま」ということ。パンツはくるくると丸めてほどけない畳み方があるので、家ではそうしてカゴに放り込んであります。Tシャツも丸めて収納。Tシャツだと筒状になるので、立てて収納もできますね。なるべく工夫してほどけないようにしています。これが重要。

ここで何が言いたいかというと、断捨離では「相」という概念を用いています、とすでに書きましたが、自立・自由・自在というのは言ってみれば「象《しょう》」。タオルを立てながら、パンツを丸めながら、自立・自由・自在を自分に叩き込んでいるようなイメージでしょうか。タオルもパンツも、畳むことで、もとの形とは違う形となって落とし込まれ、しかも崩れない、ほどけない。これが気持ちのいいこと。意のまま扱えるようなイメージです。こういう**潜在意識に訴えかけるような気持ち良さが結果的に自分自身の自立・自由・自在を促す**ことになります。タオルを立てながら、パンツを丸めながら、自立したかっこいい女になっていく、なんて考えるとちょっと楽しいですよ。

「その都度主義」でいい

ひとしきり片づけと整理・収納について書いてきましたが、ここで「断」について。何度も書いてきたように、モノが堆積していればいるほど「捨」の作業は辛いもの。けれど、その辛さを乗り越えると、今度は「断」にスムーズに移行できます。それはなぜかというと「こんなに処分するのが大変なら、もっと慎重にならなきゃ」という気持ちが働くからです。あるいは捨てきれない人でさえも、とても慎重になるようです。メカニズムを知るとモノの見方が変わるのですね。これはいいことだと思います。

自分を客観視し、悩み、迷いながらモノを捨てる経験を経てやっとその境地に至れます。もともと、つい不足を恐れてまとめ買いしたり、手放しがたくて溜め込んでしまうのが人間の性《さが》というもの。結局、余程意識的にならないとそこはなかなか変わらないんですね。無自覚に、本能のままモノと付き合うことを、断捨離はストップします。

そういう意識を企業レベルで取り入れているところがあります。京セラやトヨタなどはあんな大きな会社なのに、まとめ買いをしない「その都度方式」なんですね。不良在庫＝借金という発想。**その都度必要なモノをその時に取り入れる。**個人レベルならまだしも、世界でも有数の規模を誇るメーカーがそれを徹底しているというのはすごいことだと思います。でも、だからこそ業界でトップレベルの地位に立ち続けることができるのだと思います。

数年前、赤福の偽装問題が起きました。企業側は「こんな冷凍のものを偽って出して申し訳ございません」と謝罪していましたが、あのときに持った感想は「売り切れました」じゃダメなんだなあ、ということでした。工場の限られた生産能力において、毎日精一杯生産した、と。でもたまたまお客さんが多いときは対応できず、苦情が来てしまう。一方で売れ残りができるときもあるわけで。それをうまく相殺する生産・冷凍システムを作ってしまったわけです。断捨離的に考えると「なんでそんなに過剰に作るの！」という感じ。「売り切れました」でいいじゃない、と。でも、大概の人は**不足を受け入れたくない**んですよね。それには、ただ企業だけが悪いのではなくて、客のほうも「不足するなんておかしい！」という姿勢だから企業もそうせざるを得ないという構造があります。結局、不足しないように大量に作って、大量に余ったら冷凍するシステムを作って、そのコストを回収するためにまた大量に作って、という悪循環が起きているという。だから「冷凍でごめんなさい」という次元ではないし、消費者もその問題の一端を担っていると思います。**不足を受け入れる、「足るを知る」発想を個人も企業も持つべき時代に来ている**のではないでしょうか。

本能のままモノと付き合えば量は増える一方。キーワードは「その都度」。

断捨離 column4 ダンシャリ比較級

これまで断捨離では延べ500回以上のセミナーを行ってきました。開催都市は私の住む石川県をはじめとする東海北陸地方を中心に、東京、大阪、そしてその他地方都市。これまでの参加者は大体2000人くらい。でも、いずれも正確に数を把握しているわけではなくて。気づけば今、こうして本を出させていただくほどに断捨離の輪が広がっているような感じがします。始めたのは約８年前ですが、４年ほど前にそれまでしていた夫の仕事の手伝いをやめて、本格的にセミナーを開催するようになりました。きっかけとなったのは、ある受講生さん。それまでも断捨離の成り立ち、メカニズム、自分自身が経てきた変化の過程などを語ってきたのですが、その受講生さんはより深くそれを理解し、行動に移し、加速度的変化を遂げました。その結果、私自身もこの断捨離というメソッドにさらなる自信が持て、セミナーがもっと愉しくおもしろくなりました。しかも最近、熱心な受講生さんが、ますます増えてきています。私の実感では、セミナーを受けた方の半分くらいが、40ページにある中級レベルくらいには到達しています。これ、けっこうすごいことですよね。みなさんがそれぞれにブログなどで断捨離のプロセスや効用を実感を持って、時には写真を交えて語ってくれるようになったのも大きな要因。断捨離の輪もまた、こうして加速度的に広まっているのです。断捨離のメカニズムや体験談を綴った私のブログもアクセスは増えており、セミナーを受けずとも、クチコミとブログで知って断捨離を始める人も出てきました。そこで、94ページでもご紹介した断捨離伝道師、川畑のぶこさんは、断捨離にハマる人たちを「ダンシャラー」「ダンシャリアン」「ダンシャリスト」とユーモラスに命名。ダンシャリアンはセミナーを受講して学びを深めた人たち、ダンシャラーはダンシャリアンに感化され、自分なりに断捨離している人たち、そしてダンシャリストとは私、やましたのこと。この不思議な音は想像力をかき立てるよう！

どうやら、受講生さんやこの言葉の魅力が、断捨離を育ててくれているようです。

第5章

爽快感と解放感、そしてご機嫌！

見えない世界の加速度的変化

「オートランの法則」～自動的に片づくメカニズム～

66ページで、片づかない部屋を便秘に例えてみました。食べて食べて…出ていかない状態。そして、終いには感覚が鈍ってしまう。あるいはなんらかの理由で体のセンサーが麻痺した結果、便秘になるということもあり、「卵が先かニワトリが先か」わからないようなところがあります。そんな重症の便秘をすぐに自分の手で解消することはできませんが、住環境は、断捨離で、自力でもって意識的に変えていくことはできます。部屋に堆積した、便秘状態のガラクタを取り除いていく。そうすることで、予想しなかった効用が受講者さんから聞かれるようになりました。不思議とよく眠れるようになった、イライラしなくなり、物事をゆったり構えられるようになった、などなど…（もちろん、いずれも個人差はあります！）。

自動的に片づくメカニズムについて

体には、自律神経をはじめとして、生命維持に必要な、呼吸・代謝・消化・循環などを、自分の意思にかかわらず自動的に調節し、体を心地いい方向へと調節してくれる機能があります。それをホメオスタシス（恒常性。生物が、外界の条件が変動しても体の状態や機能を一定に保つ働き）と言います。すなわち、オートランの状態。

この作用は、心とも密接に連動しています。テレビから流れてくる悲しいニュース、過去の辛い出来事、心を揺さぶられるようなドラマや小説、そういうものを、自身に今起きているかのように心臓が高鳴ったり、涙が出たり、息苦しくなったり。そういう心と連動した体の変容もまた、そのメカニズムによるもの。もちろん意識のうえでは、自分が今体験しているわけではないことはわかっているのですが、この、オートマチックな仕組みは常に「今」「自分」のこととして作用している、とも言える、と断捨離は考えます。普段、当たり前すぎて気づかないのですが、**そういった体の深淵な作用があってこそ私たちは生かされている**。そして、無意識的に自分の命を預けているという意味では、**人間はそのメカニズムに絶対的な信頼を置いている**とも表現できるのではないでしょうか。

断捨離とオートラン

断捨離では、肉体における、そのオートマチックなシステムを「相」として取り入れています。きっちり断捨離して快適な環境を整えたら、もうそのときにはすっかり自分を信頼できる自分になっています。なぜなら「自分」とモノとの関係性を問い直しながらモノを絞り込む中で、自分軸がはっきりして自分自身が立て直され、「不要・不適・不快」は「要・適・快」に入れ替わり、「今」必要なモノだけがある状態だからです。それが即ち、体がオートランの状態と「相」を同じくしている、と断捨離は考えます。

もう、ここまでいくと、**部屋が散らかるという事態にはまずならない**です。**住まいや生活をメンテナンスすることが当たり前・自動的**になります。そして、不用意に不安にとらわれたりしにくくなります。必要なモノは必要なときにちゃんと獲得できる自分、ということに対し、疑いなく楽観的でいられる。この意識変容は大きいです。結果、体のセンサーも正常化するような効用を得られる場合がある。このような実体験の数々を、ホメオスタシスのメカニズムとの因果関係をもって科学的に証明することはできませんが、セミナーの受講生さんや私自身が大いに実感するところではあります。

ガラクタを溜め込んでいる状態は、オートランのメカニズムを妨げているような、蓋をしているようなイメージ。それを一つ一つ、自分の手で取り外していくわけですね。部屋の状態を客観視したら（診断）、今度は自分の手で片づけ（治療～治癒）ていく。そうすることで、誰もが持っているそのオートマチックなシステムをも立ち上がらせていけるようなイメージです。というゴタクはさておき、まずは実践あるのみです！　第5章では、断捨離が軌道に乗ると起こり始める、「見えない世界」「もっと見えない世界」での、深淵かつ不思議な変化や気づきをご紹介していきます。

断捨離とは、
信頼できる自分になれるトレーニング。
結果、「片づけられない私」とも卒業！

モノに自分を高めてもらう

安売りのトイレットペーパーを「足りなくなるかもしれない」と抱え込む人、100万円単位のモノを「これはなかなか手に入らないぞ」と抱え込む人。同じ抱え込むでもセルフイメージの違いがハッキリしますよね。だって100万円のモノは事実手に入りにくいモノですから。でもそれすら、今の自分にとって必要ない、と認めて手放すことによってセルフイメージはさらに上がっていきます。**いくら高価であっても、レアであっても、自分に必要かどうかの物差しで測れる人というのは強い**わけです。そういう執着の外し方ができたことに自信が持てます。確かに最初は覚悟と勇気が要ります。それでも手放すことができたら、**引き換えに「なんとかなるさ」という明るい未来と展望が持てる**ようになります。そういう自己探求と捉えることもできますね。その一番最初の入り口が、レシートやポイントカードがいっぱい詰まったお財布だったり、貰い物のペンがぎちぎちに入ったペン立てだったりするわけですが。

ケース11　十数万のテレビを思い切って断捨離！

断捨離を順調に進めていったあるとき、かおりさんはこんな気づきに至った。「どうでもいいモノからマシなものを選択してたのではないか？」と。自分軸と「今」という時間軸で見つめ直すと、部屋中要らないモノばかり。観るテレビ番組だってそう。能動的に観たいものはほとんどなくて、なんとなくテレビを点けては、そこそこおもしろそうな番組をなんとなく観ている…。そういう自分に気づいたときに「そうか、だったらテレビを捨てればいいんだ！」と思い至る。高価な大型液晶テレビを思い切って断捨離。友人へのプレゼントとなった。いざ、テレビを手放してみると、部屋の一等席にあったことに気づき…今では、テレビのあった場所が彼女の寛ぎの定位置。

残ったモノで自分が見えてくる

断捨離は、**暮らしのメンテナンス作業でありながら自己探求ツール**です。**いわば山奥に行かなくてもできる修行**のような。ガラクタを捨てて、捨てて…と繰り返していくと頭も気持ちもすっきり。と同時に、環境的には気場も整います。内面と環境がスッキリすることではじめて「場の浄化」が完了します。そうすると、不思議なもので自分のテーマみたいなものも見えてきます。

断捨離を続けていって残るモノには2種類あります。ハナから大事だと思っていたモノと、気づいたら残っていたというモノ。この、気づいたら残っていたモノというのがとても深いメッセージをくれることがあります。

ある受講生さんは、洋服を断捨離していくうちに、気づくと青い服ばかり残っていたそう。青というのは色彩心理学的にはマスキュリン（男性的）な意味合いがあります。その頃の彼女は、仕事も忙しく、新しい分野を開拓しようと躍起になっていたので、自然と男性的なパワーを身につけようとしていたのかもしれません。自分のテーマを決めるのではなくて、消去法をしていったら、その時の自分のテーマが浮かび上がってくるのですね。

ケース12 成就しない恋愛を映し出した1箱のダンボール

ようこさんは30代独身の女性。彼女は、もともと整理片づけ上手。が、セミナー受講で、さらにその「片づけ魂」にめらめらと火がついたよう。徹底的にモノを絞り込んで、殺風景なほど片づいた家。それでも、最後に残ったダンボール1箱分の本。要るのか、要らないのか、捨てたいのか、捨てたくないのか…。自問自答するようこさん。結局、半年あまり、押入れの片隅に置きっぱなしのまま忘れていた。セミナーを再受講後、急に、そのダンボールが気になりだし、押入れから引っ張り出してみると…なんと、その本は、ぜんぶ恋愛小説の類い、しかも成就しない恋愛ばかり。勉強家の彼女が、好んで読んでいた社会科学系の大量の本は、あっさり手放せたのに、なんで、こんな通俗的な本が、埋もれるようにして残っていたのか。彼女はハッと気がついた。これらの本は、今までの、恋愛経験の映し。決して成就しないであろう相手ばかりと、繰り返してきた恋愛。自身の潜在意識の中に、結婚という形態を拒否する自分が、知らず知らずのうちに棲みついていたような…。彼女はただちに、このダンボール1箱分の本を、きっぱり断捨離。結婚を拒否しない自分へと、ハンドルを方向転換。モノは、知らない自分を映し出す。

セルフイメージ以上のモノをあえて使う

「モノを片づけるとなぜか気持ちが軽くなる」という感覚は誰しも経験したことがあるか

と思いますが、断捨離の目指すところは、その先にあるマスターレベル。厳選したお気に入りのモノを使うことで、ついには新しい自分も引き出してもらう、つまり、モノをただ使うのではなくて、モノの力を最大限に利用するという段階に入ることができます。

29ページで「もったいなくて使っていなかった、引き出物のマイセンをあえて使いましょう」と書きました。「自分はそんなレベルにない」と貶めている自分を発見し、意識的にグレードの高いモノを使う許可をしていく、加点法のプロセスですね。このとき、日常使いのカップを例に出したのには理由があります。**毎日使うモノは潜在意識に作用しやすいため**です。では、ここでは趣向を変えてバカラを例にしていきましょう。

自分が毎日使っている、壊れにくい、あるいは壊れてもあまり痛くも痒くもない、普通のガラスのコップを、バカラのグラスに替えてみます。使い始めはとっても違和感があると思います。なんか壊しそう…もったいない…重いなあ…と。それはセルフイメージ以上だという意識の裏返しですね。でも人間って慣れるものです。慣れていって、**日常使いすることに違和感がなくなったそのとき、潜在意識のセルフイメージも引き上げられた**、と考えます。これもまた「相」の発想です。これが私たちをどんどん新しい世界へと送り出してくれるアクセルになります。

断捨離では、どんなモノを自分に与えているか、イヤというほど客観視させられる瞬間があります。

その過程は、**自分が今、どこに居るのかがわかる地図を手に入れた状態**でもあります。それがわかって、じゃあ、自分がどうなりたいか、と意識するようになったときに、自分の目指すイメージに相応しいモノを持ってくるんですね。ここではわかりやすく「バカラに相応しい女になりたい」ということにしていますが、もちろん、それが自分にとってなんなのかは、個々で問いかけてみてください。この作業はとっても楽しいですよ！　イメージして、現実に落とし込んでいくプロセスですから。

最初は慣れなくて1〜2回割るかもしれません。よく言いますよね、いいモノから壊れるって。でも実際は必ずしもそうではなくて、「壊れちゃったからやっぱり自分は使わないほうがいいんだな」って自分を貶めてしまって、気にしすぎていることのほうが問題と考えます。大事に使っていて、たまたま壊れてしまうんだったら、それは仕方ないんです。そのうち慣れますから大丈夫。

カップなど、口につけるモノから始める、というのも実はポイント。東洋医学で、文字通り気を補うという意味の「補気」という概念がありますが、食べ物・飲み物とはまさに人間にエネルギーを補給してくれるもの。だから食べ物を入れる器というのもとっても重要だし、同じような意味合いを持ちます。毎日、直接口をつけるのならなおさらです。なりたい自分になるために、まずは日常使いの器から意識改革を始めます。

断捨離は、節約や清貧生活のすすめではない

モノを減らせ減らせと言うものですから、勘違いされることもあるのですが、断捨離は一昔前に流行った「清貧」や「節約」を謳《うた》っているわけではありません。結果的に、シンプルになったり節約になっていくことはありますが、それ自体を求めていません。

食べ物にしてもファッションにしても、どんどん旬のモノを取り入れていきます。繰り返し書いてきたように、断捨離で重要な概念は「今」。旬とは、食べ物でもファッションでも、今、エネルギーが強いということです。古い食べ物ではエネルギーがつきそうもないですよね。これは栄養素の概念ではないです。「気」の概念です。ファッションでも同じことが言えると思います。別に最先端を追う必要はないのだけど、トレンドを身につけることで「豊かなエネルギーをまとっている」という気持ち良さが芽生えてくるもの。こ

れは、きっと誰しも実感があることですよね。旬を身にまとうのはとても幸せな状態です。
私の場合、3着を1シーズンかせいぜい2シーズン限定で着回します。シーズンごとに気分ががらっと変わり、旬を意識できて楽しいですよ。

モノとは自分自身の投影。
だったらそのモノは、
素敵かつフレッシュが一番。

もっともっと「見えない変化」が起こる

いつもセミナーをしていて思うのは、断捨離に興味があって来られる方々は、ご本人が意識しているかしていないかにかかわらず、**変化の時を迎えている**のではないか、ということ。あるいはちょうど「変わりたい」と思っている方だったり。あるいは「変わりたい」と思いつつ変化を恐れている方だったり。おそらく、この本を手に取られた方も同じような状況にあるのではないかと思います。

例えば、楽しかった中学校を卒業して、高校に進学するとき、全然違う新しい世界に行くことに少し怖い気持ちがありますよね。でもどうしたって卒業はしなきゃいけないのに…。そういう春休み状態の人がよくいます。もう戻れないけど、進むのは怖い。その春休みが一時的ならいいのですが、時に延々と続いてしまう人がけっこういます。その変化の後押しをするのが、この断捨離です。

自力から他力への加速度的変化

「掃除」と「運気」を絡めて論じた本がたくさん出版されています。確かにその通りだと思いますし、私たちも普段の実感として、掃除をすることで、心や人間関係すらも一緒に整理されたりといったことは少なからず経験していることと思います。でも何がどうしてそうなるのか。そのメカニズムはあまりクリアになっていないというか、それこそ〝整理〟されていない気がしています。

まず、「断」と「捨」という自己肯定・自信の回復のプロセスを経ていく中で、観念の変化が起きます。一番わかりやすいのは、今まで自分の観念だと思っていたのが、実は親の観念だったり、身近な他人の観念にすり替わっていたことに気づかされることがあります。そうやって、モノを通じて自分オリジナルの価値観やものの考え方を確かめていきます。そうしていくうちに、次の次元に移り替わります。今度は自分のみならず、世界をも信じられるようになってきます。必要なモノは必要なだけ、必要な時に与えられるんだ、と。**自力の世界から他力の世界へとレベルアップ**するようなイメージです。116ページの「相」の世界と意識の世界のところで詳しく書きましたが、ガラクタを片づける行為とともに、潜在意識の詰まりも取れていき、最終的には、集合無意識と呼ばれる深い次元からの気づきが湧き起こってくるのではないかと考えます。4〜15％の現象界（見える世界）と見えない世界が相似形を為していて、そこを動かすことで「見えない世界」そして「もっと見えない世界」まで作用するイメージです。

「邪魔」という言葉〜陰の直感・陽の直感〜

住まいに不要なモノがはびこっているとき、つまり潜在意識が詰まっているような状態のとき、家の中にはちょっとしたストレスがそこかしこにあったりします。

ストレスの種は案外ささいなこと。キッチンの下の扉を開けようと思ったら、大量にストックしてあるペットボトルが邪魔だったとか、必要な本を取り出そうにも、手前にある本が邪魔だったとか、そういうつまらないことです。でも、それも積み重なると、常にイライラした自分になってしまいます。もし、一瞬でも邪魔と感じたモノは、その場で一つ一つ潰していくよう意識するといいです。

この、「邪魔」という字。恐ろしい字面の割に案外簡単に使う言葉です。思うに、直感にも2種類あります。言うなれば、陰の直感と陽の直感。陰の直感とは一言で言うと「違和感」。「なんかドア開けにくいな」と思って違和感を感じても「まあ、開けられるしいいか」となる。「あれ？　あの人ちょっと変」と思って違和感を覚えても「でも、いい人だしな」と思い直す。そういう風に思考で「誤魔化す」ことをしてしまいます。本当は、その、感じた違和感を消す必要はないんです。そう考えると、その陰の直感、違和感を感じた原因を意識して取り外したり、気をつけたりすることができたら、余計なストレスを増やさなくて済む気がしませんか？　モノレベルの**「あ、邪魔だな」という違和感を打ち消す思考とは、言うなれば直感という管にこびり付く錆のようなもの。**本来は、「取り除くべき」存在を直感は教えてくれているのですから。それを取り除いていったときにはじめて、ひらめきという「受け入れるべき」陽の直感が訪れる。そんな風に思えます。

海洋深層水のような宇宙からの応援

「邪魔」なモノ、家の中の詰まりとは、結局潜在意識の詰まり。だから、モノを1個取り除いたら潜在意識の詰まりも1個取れる。最初は小さな穴を開けていく作業かもしれないけれど、そうしていくうちにドーッと「見えない世界」どころか「もっと見えない世界」からの応援が来る、そんな感覚があります。その**「もっと見えない世界」というのを神の領域と呼ぶか、サムシンググレートと呼ぶか、集合無意識と呼ぶか。その呼び方はなんでもいいのですが、もともと私たちはその恩恵に授かれる**存在だと思います。でも、自分でガラクタを集めて蓋をして受け取れないようにしている人がたくさんいる。本来はそんな風にわざわざ詰まらせておく必要はないんです、その「もっと見えない世界」からの恩恵は、例えば海洋深層水のごとく湧いてくるというイメージ。詰まりのない人というのは、その恩恵を一手に受け取れます。でも、**それを期待してやるというよりも、日々楽しみながら自分と日常のメンテナンスを行っていくことが秘訣**のような気がします。

あらゆる自己啓発本では、「今」を生きて即行動できる人になろう、ということが繰り返し書かれています。成功者とは、実際、それを実践している人たちだと思います。断捨離は、その、「今」を生きて即行動というスタイルを、日常の片づけに落とし込んでいるメソッド。ですから、ただ漫然と「そうじで開運」と謳うつもりはありません。成功者の特徴としては、そのスタイルを貫き通しているうちに、自分を通り越して「天におまかせ」といった心境になる、ということ。117ページにある、4~15%の現象界（見える世界）

■見える世界・見えない世界・もっと見えない世界

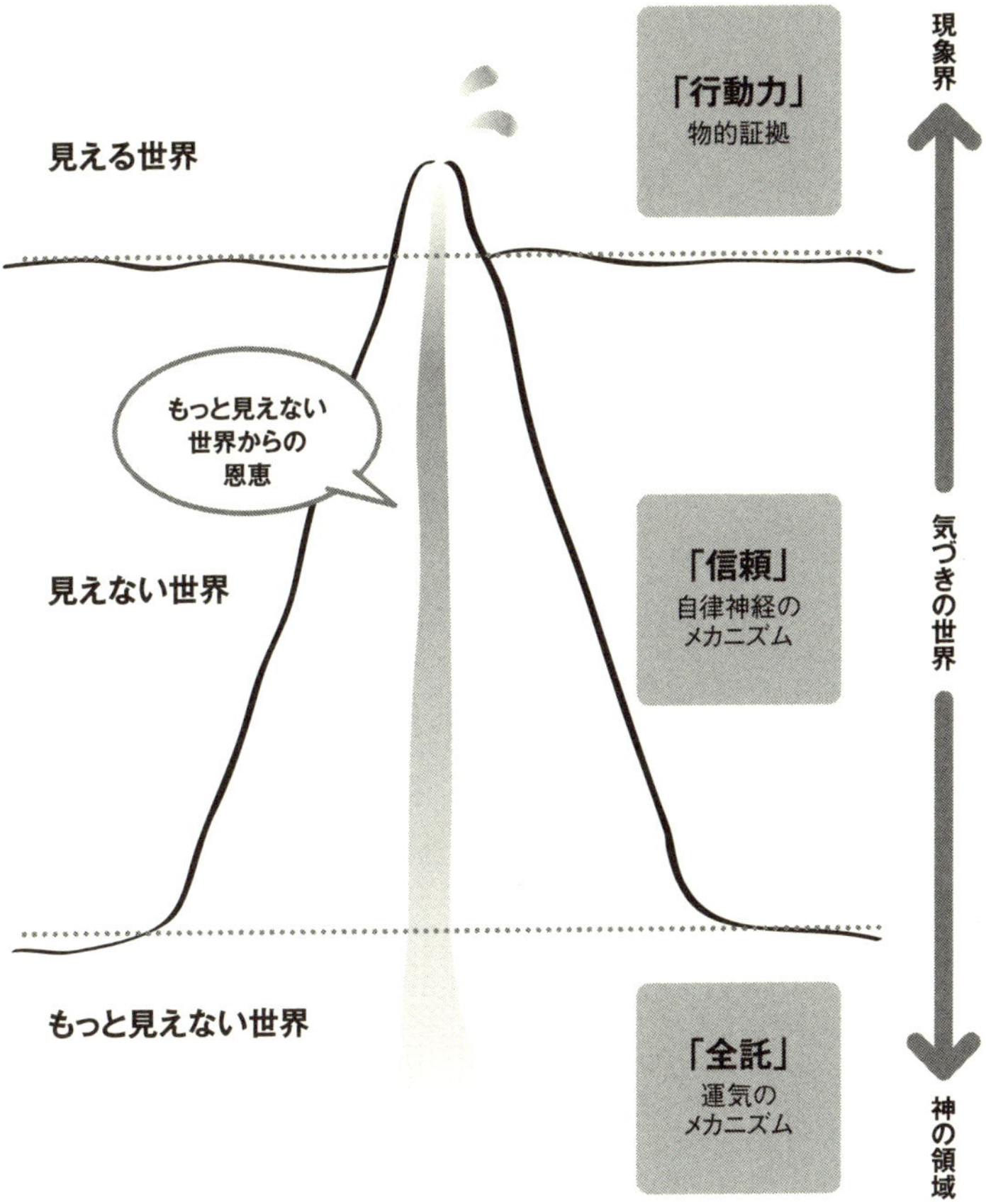

での行動がここまで深く深く入っていくんですね。これは断捨離の目指す**「意図的な覚悟と勇気のある楽天家」**という状態。

結局、ぐちゃぐちゃの家に住んで「何かいいこと起きないかな」ってそれは無理。自力の世界から最終的には「天におまかせ」の境地へ。これが究極のオートラン。断捨離やるなら、この境地を目指したいですよね。

運気というのは、実は自分で変えられる。
コツは楽しみながら、
日々住まいをメンテナンスすること。

所有の発想から解き放たれる

　こうしてモノとがっぷり関わってきて思うのは、モノってやっぱり「物＋思い」なんですね。同じモノでも、自分がどういう風に思いを込めているかということがとても重要で。人から見たらゴミ同然でも、ただの石ころでも、その人が取っておく理由があればそれはモノなんです。いい思いのモノだったら取っておいても構わないと思いますが、**やっぱりネガティブなモノは「重い」です。非常に重たい。**だったら、人生にわざわざ重たい荷物を背負って歩く必要なんてないと思いませんか？

　余談ですが、セミナーでこんな質問をしてみたことがあります。「あると便利かもしれないけれど、無くても困らないモノはなんですか？」と。このときの答えはとっても面白かったです。アラフォーの独身の女性が答えたのは、「男」でした。それにしてもこの方、すごいことに気がついてしまったんだな、と思いました。親や家族から「結婚しなきゃいけない」と責められて、自分もしなきゃしなきゃとがんじがらめになって、お見合いもどれだけしたかわからないけど、結局成就しなかった、と。でも、突き詰めて考えたら、自分にとって男という存在はそういうものだったんですね。もちろんいろんな女性がいて、どんなに強がっていても男性がいてこそ、という人もいます。**大事なのは、その、自分の心の奥底にある本当の気持ちに気づくこと。**モノへの問いかけがこういう深い心理まで入っていったことはとても興味深いことでした。やはりモノは侮れません。

そしてもっと突き詰めていくと、断捨離で「所有」という発想自体ことごとく打ち破っていきたいな、とさえ思うのです。これはちょっと過激な話に聞こえるかもしれませんが、何かのために備える必要はないんじゃないか、と。いつかそのうちというのは、それが訪れたそのときでいいわけだしと思うと、取っておこうという概念はなくなるんですよね。運命学では「備えるからそうなる」という過激な考え方があります。ある種の引き寄せの法則ですね。保険がいい例。保険というのは勝ち目のないギャンブルみたいなところがある。高額な医療保障のある保険に入ってしまうと、下手をしたら「病気にならないと損」みたいな気さえ起こってきます。いかに私たちは、不安のためにお金を使って、不安のためにモノを取っておくか。これは**いいとか悪いとかという問題ではなくて、人間というのはそういうものなんだなあ、と理解しておくと「では自分がどうしたいか」がクリア**

になってくると思います。生き方の問題ですね。

私は、究極的には、すべてのモノは神様と地球からの借り物だって思っています。例えば、土地を買う、家を買うとは「維持・管理する権利」を買ったようなものだ、と。買うっていう概念自体、人間が勝手に思い込んでいるものであって、地球には関係ないことです。土地だけでなくて、すべてのモノはもともとただの物質でいろんな化学変化や人為的工夫でモノとして存在して、そこにいろんな概念や付加価値をくっつけて流通させているわけですから。**所有とは結局、思い込み**です。でも、だから所有をやめろということではなくて、そういう本質的なことを理解することで、自然とモノを大事にしたいという気持ちが湧いてくるというところが肝心なんだと思います。せっかく持つのなら「ま、いいか」よりも「これじゃなきゃ」と思えれば、維持管理も楽しいもの。そして、究極は、**あらゆるモノが地球からの借り物なんだと考えていけたら…自ずと感謝や畏敬の念が湧いてきます。**

色即是空《しきそくぜくう》。カタチあるものはみな虚しいもの。そして、私たちの心も移りゆくもの。せっかくの、モノとのかりそめの出合いを精一杯楽しんでいる姿は…きっと求めていた幸せそのものなのです。そしてご縁が終わりのときを迎えたら、潔く手放していく。モノ、そしてすべてのことにそうありたい、それが断捨離の願いです。

あとがき

モノは、使ってこそ
モノは、今、この時に、必要とされるところへ
モノは、あるべきところにあって、美しい

忘れられない光景があります。もう何年も前になるでしょうか、ある報道番組で見たクルド人の少年の姿。彼が暮らすのは、難民キャンプのテント。そして、彼が身につけていた半袖のシャツは、日本からの支援物資の古着。あろうことか、その半袖シャツは、小学生用の体操着で、胸には、名前と学年学級、学校名が記されたタグが縫い付けられたままでした。

私は、とても驚きました。こんなにも使い古された体操着が、難民キャンプに支援物資として提供されていることに。しかも、私は、このほんの少し前に、フリース素材の上着

を処分したばかり。クルド少年の体操着より、何倍も状態も質も良く、とても暖かな衣服。そのうえ、私の整理箪笥の中には、着ることもない、それどころか、あることさえも忘れられたセーターが、何枚も、眠っていたのだから。

そして、もっと驚いたのは、厳しい寒さのテント暮らしの少年が、このくたびれた半袖体操着を、有り難そうに着ていること。申し訳ない気持ちと、言いようのない腹立たしさで、いっぱいになった私がそこにいました。

自分の周囲には、使えはすれど、使いもしない、無用なモノが溢れ返り、映像で垣間見た世界では、モノの不足の中、厳しい生活を強いられている人たちがいる。

自分が暮らす日本では、モノを、いかに効率よく納めるかと、整理収納術がもてはやされ、遠い世界では、収納術などまったく無縁の、そもそも余ったモノなどまったくないところがある。

おびただしいモノ、ひしめくモノが、家も暮らしも押し潰し、片づかない悩みを人生に抱え続ける状態と、圧倒的なモノ不足が、生活を押し潰す状態と。

どちらも、本当は、この社会に、あってはならない世界。だとしたら、せめても、この豊かなモノの中にある私たちが、できることはないだろうか…。その思いが、断捨離の基礎となる「モノとの付き合い方」につながっていきました。

モノは使ってこそ…という「断」
モノの量と質に意識的となり、使い切れないモノ、必要以上のモノの流れを「断」していく。

モノは、今、この時に、必要とされるところへ…という「捨」
かつて使っていたモノでも、今、必要でないのならば、いつかそのうちまた使うかもしれないと、漫然と保存、保管、収納するのではなく、今、必要とされているところへ、意図的にスムーズに送り出して「捨」していく。

モノは、あるべきところにあって、美しい…という「離」
モノにも自分にも問いかけながら、「断」と「捨」を繰り返し、今の私に相応しいモノを選びぬく。絞り込まれ、厳選されたモノたちは、各々割り当てられた空間に、自ずと戻るように「離」れていく。

もし、こんな暮らしぶりを築くことができたのなら、人生は、なんと軽やかに、ご機嫌になるでしょう。同時に、断捨離は、生活や仕事の場で織り成す、自己探求のプロセス。モノと仲良しになり、仲良しの味方ばかりがいてくれる空間を、自ら作り出し、自らに与えていくワーク。そうして、自分自身とも仲良しとなり、自己肯定感を高めていく。何も、見えない世界、スピリチュアルな世界ばかりに、自分探しがあるのではないですよね。むしろそれらは、目に見える現実の世界での行動によってオマケのように実感できるものなのだから。

目に見える環境を整えながら、自分をも調えていく、暮らしの有り様。
自分をご機嫌にし、ともに暮らす家族、パートナーをもご機嫌にし、
そのご機嫌の輪を、地域、社会、世界、地球へと、広げていけたら…

断捨離という漢字のせいか、当初、文字通り孤軍奮闘に近い形で始めたセミナーも、回数を重ねながら、受講生さんの笑顔とともに広がりを見せ、断捨離仲間さんが増えていきました。そして、思いがけず、本の出版という機会までもいただき、夢が叶うことの嬉さを噛みしめている今。この嬉しさといっぱいの感謝を、何より、受講生お一人お一人に、お返ししなくてはと思っています。断捨離というメソッドは、私一人が作り上げたものでは決してありません。受講生さんからの無数の体験談をもとに、どんどん統合され、体系化していったものなのですから。

その中のお一人、力強く厚い愛ある支持をくださった心理療法家・川畑のぶこさん、出版のご縁を持ち前の行動力で直ちに繋いでくださったリフレクソロジスト・市野さおりさん、そして、この本の編集者関陽子さん。次々と繰り出される彼女の質問は、誠実で真摯、そして明晰そのもの。おかげで、私自身、断捨離を改めて異なる視点、より多角的に捉え直すことができました。

ありがとうございます。

ご縁に精一杯の感謝を。

二〇〇九年十二月吉日

やましたひでこ

クラター・コンサルタント

やましたひでこ

東京都出身。石川県在住。大学在学中に入門したヨガ道場で、心の執着を手放す行法哲学「断行・捨行・離行」に出合う。その後、モノの片づけを通し、誰もが実践できる自己探求のメソッドとして落とし込んだ、住まいと心のガラクタの新・片づけ術「断捨離」を考案。2000年頃からクラター（ガラクタ）・コンサルタントとして「断捨離セミナー」を全国各地で開催。「片づけ」「整理・収納」「掃除」という概念の組み立てから、実践による意識変容までのメカニズムを明解にしたセミナーが話題を呼び、受講者は年々広がりを見せている。監修に『断捨離のすすめ』（同文舘出版刊・川畑のぶこ著）がある。

- ブログ「断捨離通信」〜家の中で、ため息をついていませんか
  http://danshari.at.webry.info/
- ブログ「これって片づけですか？いいえ断捨離ですよ♪」
  だんしゃり的日々是ごきげん日記、いえゴタク？ときどき雄叫び♪
  http://blog.goo.ne.jp/danshari

新・片づけ術 断捨離《だんしゃり》

2009年12月17日 第1刷発行
2010年5月26日 第14刷発行

著者 やましたひでこ
発行者 石﨑孟
発行所 株式会社マガジンハウス
〒104-8003 東京都中央区銀座3-13-10
受注センター ☎049-275-1811
書籍編集部 ☎03-3545-7030
印刷・製本所 中央精版印刷株式会社

ISBN978-4-8387-2052-1 C0095